Los divagantes

Guadalupe Nettel

Los divagantes

EDITORIAL ANAGRAMA

BARCELONA

Ilustración: © Maia Flore

Primera edición: *septiembre 2023*

Diseño de la colección: Julio Vivas y Estudio A

© Guadalupe Nettel, 2023
C/O INDENT LITERARY AGENCY
www.indentagency.com

© EDITORIAL ANAGRAMA, S. A., 2023
Pau Claris,172
08037 Barcelona

ISBN: 978-84-339-0818-6
Depósito legal: B. 10886-2023

Printed in Spain

Romanyà Valls, S. A.
Verdaguer, 1, 08786 Capellades (Barcelona)

Para Mir, Lorenzo y Mateo

Nous ne voyons pas les choses comme elles sont. Nous les voyons comme nous sommes.

ANAÏS NIN

LA IMPRONTA

Antes de morir, mi tío estuvo tres semanas en el hospital. Me enteré por una casualidad, o eso que los surrealistas llamaban «el azar objetivo» para hablar de los hechos fortuitos que parecen dictados por nuestro destino. Por ese tiempo, la madre de Verónica, mi mejor amiga, sufría un cáncer muy avanzado y estaba interna en la unidad de terapia intensiva de la misma clínica. Esa mañana me había pedido que la acompañara y yo no pude negarme. Salimos de la universidad, situada en el mismo barrio, y en lugar de ir a la clase de etimología latina subimos al autobús. Mientras deambulaba por el pasillo esperando a que Verónica se ocupara de su madre me entretuve leyendo los nombres de los pacientes escritos en las puertas. Me bastó con ver el suyo para entender que se trataba de un familiar, pero tardé un tiempo en identificarlo. Después de varios segundos de desconcierto –una sensación comparable a cuando, en un cementerio, descubrimos una lápida con nuestros apellidos sin que sepamos de quién se trata–, comprendí que el enfermo era Frank, el hermano mayor de mi madre. Sabía de su existencia, pero no lo conocía. Se trataba, por así decirlo, del pariente proscrito de mi familia, un hombre del que casi nadie hablaba en voz alta, mucho menos delante de mamá. A pesar de la curiosidad que me invadió en ese momento, no me atreví a asomarme, por temor a que me reconociera. Un miedo absurdo, en realidad, pues hasta donde yo recordaba no nos habíamos visto nunca.

Permanecí un buen rato ahí, sin saber qué hacer, concentrada en mi ritmo cardiaco, que no hacía sino acelerarse, hasta que la puerta se abrió y del cuarto salieron dos mujeres vestidas de blanco. Una de ellas llevaba la bandeja del desayuno con los platos sucios.

–Este hombre come más que un San Bernardo. ¿Quién lo diría en su estado?

Me divirtió descubrir que las enfermeras se reían de sus pacientes, pero también la posibilidad de que mi tío fuera un enfermo imaginario como el de Molière, a quien estábamos leyendo en clase de dramaturgia.

En el autobús, de regreso a la universidad, le

expliqué mi descubrimiento a Verónica. Le conté también todo lo que sabía acerca de Frank. Buen estudiante desde la primaria hasta el último año de bachillerato, había obtenido en el colegio una reputación intachable y también la admiración de sus maestros. Para eso contó siempre con la complicidad de mi abuela —esto se lo oí decir alguna vez a mamá—, quien le solapaba tanto las ausencias en clase como sus travesuras dentro de la casa. Después de cursar un año la carrera de ingeniero, abandonó la universidad para dedicarse a la fotografía y, más tarde, a vagar por el mundo. Se hablaba también de sus vicios y de sus adicciones, pero jamás escuché a nadie especificar de qué tipo eran éstas. Nunca estuvo presente en los grandes acontecimientos de mi familia, en la graduación de mi hermano, por ejemplo, o mi fiesta de quince años, eventos en los que aparecían, como por generación espontánea, racimos de parientes a los cuales había que presentarme varias veces. Todos mis tíos, excepto Frank. En ocasiones escuchaba a viejos amigos de mis padres preguntar por él con una curiosidad morbosa, como se pregunta por alguien de quien tendremos, sin lugar a dudas, noticias desopilantes. Era imposible —al menos para mí— dejar de notar la incomodidad de mi madre al responder sobre el paradero de ese hermano. «Sé que está en Asia», decía, o «Sigue con su novia escultora». Las cosas que sabía de él las había oído al vuelo en conversaciones ajenas como ésa, pero entonces la vida de Frank no me importaba gran cosa.

El día siguiente fui yo quien le pidió a Verónica que me dejara acompañarla. Esta vez faltamos a la clase de lingüística y fonología, la más aburrida de todas. Llegamos al hospital hacia las doce. Cuando mi amiga entró al cuarto de su madre, esperé algunos minutos y, tras cerciorarme de que no había ninguna enfermera dentro de la habitación de Frank, toqué la puerta y entré. Fue la primera vez que estuve frente a su cama, adonde habría de volver muchas otras veces. Mi tío era un hombre robusto y de abundante pelo gris, que, efectivamente, no tenía aspecto de estar enfermo. Lo que sí tenía era una combinación de rasgos muy semejantes a los míos. Su expresión, a diferencia de la de otros internos, como la madre de Verónica, era lúcida, y estaba consciente de todo lo que ocurría a su alrededor. Su brazo izquierdo estaba enchufado por medio de un catéter a una bolsa de suero donde habían vertido diversos medicamentos, pero fuera de eso, y de una leve parálisis en el lado izquierdo del rostro, parecía dispuesto a saltar de la cama.

–No nos conocemos –le dije–. Soy Antonia, tu sobrina.

14

Durante un par de segundos sentí que, en vez de una sorpresa agradable, mi presencia le había producido miedo. Fue una sensación veloz, apenas el relámpago que generan las intuiciones, pero tan inconfundible para mí como el susto que yo había sentido el día anterior frente a su puerta. Antes de responderme, su rostro dibujó una sonrisa seductora, la misma que habría de ofrecerme todas las veces en que fui a visitarlo.

Siempre me ha resultado extraña la familiaridad que establecemos con alguien desconocido en cuanto nos enteramos de que es nuestro pariente. Estoy segura de que no tiene nada que ver con la afinidad inmediata, sino con algo tan artificial como la cultura, una lealtad convencional con el clan o, como dicen algunos, con el apellido. Sin embargo, no fue eso lo que ocurrió entre mi tío y yo esa mañana. No sé si fue por la fama de irreverente de la que gozaba entre nosotros o por la desobediencia que implicaba tratarlo, lo cierto es que sentí una admiración parecida a la que inspiran los personajes de leyenda.

Me preguntó cómo había dado con él y me pidió que no se lo dijera a nadie. Por ningún motivo quería retomar el contacto con la familia. Yo le expliqué, para tranquilizarlo, que había sido por casualidad. Le hablé de Verónica y de su madre, y le aseguré que podía contar con mi silencio.

Los primeros días me resultaba tan insoportable el olor del hospital como el de mi tío. Así que, en vez de sentarme en la silla de visitas dispuesta junto a su cama, me instalé en un borde de cemento que había frente a la ventana, por donde se filtraba una agradable corriente de aire. Ahí estuve más de una hora respondiendo a las preguntas que me hacía acerca de la universidad, de mis gustos literarios, de mis opiniones políticas. Era la primera vez que alguien de mi familia se tomaba en serio el hecho de que estudiara literatura sin pensar que mi elección se debía a una falta de talento para cualquier cosa, y que era una carrera destinada a las mujeres que esperan dedicarse la vida entera al matrimonio. Me sorprendió también lo mucho que había leído. No hubo uno solo de los escritores que yo mencioné esa mañana del cual no conociera por lo menos una obra. Luego Verónica tocó a la puerta y, desde el umbral, me hizo señas para que saliera.

No me despedí de beso. Le di la mano sin mirarlo a los ojos con una timidez que pareció divertirle y me dirigí a la puerta.

–Vuelve pronto –me dijo.

En el autobús, mi amiga me estuvo interrogando.

–Es muy guapo todavía –comentó entusiasmada–. De joven debe haber sido un portento.

16

Pero ten cuidado. Por algo no lo quieren en tu familia.

Era jueves. Estábamos en plena temporada de lluvias y llegué a casa escurriendo. Mi madre y mis hermanos estarían fuera hasta tarde, de modo que tanto la cocina como las habitaciones se encontraban a oscuras. Dejé mis libros ahí y, sin perder tiempo, fui directamente al estudio para buscar la caja donde mi madre guardaba las fotos de su infancia: dos álbumes cuidadosamente arreglados que recorrían sus primeros años de vida. Ahí estaba ella con mi tío Amadeo y un niño mayor de enormes ojos castaños que no podía ser sino Frank. En varias de esas imágenes los vi muy sonrientes jugando dentro de una piscina, en un parque y en el patio de mis abuelos. Pasadas un par de páginas, el niño se eclipsaba misteriosamente. Fuera de aquellos álbumes, había otras fotos dispersas en el fondo de la caja. En ellas, mamá debía estar comenzando la treintena. Su ropa era inusualmente bohemia, huipiles y faldas con bordados indígenas, pantalones de campana, muchas pulseras. Mi hermano y yo aparecíamos de cuando en cuando en brazos de nuestros padres, en pijama o en ropa interior. En las más recientes yo debía tener cinco o seis años. Muchas de esas fotos estaban recortadas de forma sistemática. Sospeché, y no creo haberme equivocado, que la parte suprimida era en realidad la cabeza o el torso completo de Frank. Probablemente, en algún tiempo remoto, había convivido con nosotros, cosa que mi madre no había mencionado nunca. Por el tipo de corte en el papel, se adivinaban unos tijeretazos furiosos. ¿Qué podía haber hecho para merecerse tanta enjundia? Y, en todo caso, ¿por qué no quitar también las fotos de la infancia, donde estaban tan unidos? Pensé en Juan, mi propio hermano, tres años mayor que yo. Desde su entrada a la adolescencia habitábamos la misma casa sin ningún tipo de camaradería. La complicidad que desarrollamos durante la niñez había quedado olvidada hacía mucho tiempo. Sin embargo, jamás se me habría ocurrido eliminar su silueta de las fotos familiares. Escuché el cerrojo de la puerta. Mi hermano llegaba de la universidad con un par de compañeros y se instalaron en el comedor. Guardé la caja en el librero del estudio y volví a mi cuarto sin hacer ruido.

La mañana siguiente regresé al hospital. Apenas entrar, noté un gesto de satisfacción en la cara de mi tío. Esa vez fui yo quien hizo las preguntas. Le pedí que me contara su historia desde la época en que vivía en casa de mis abuelos, cómo había sido su niñez y su paso por la universidad. Su relato no contradijo el que había escuchado en labios de mi familia, pero añadía una dosis de escarnio y de sentido del humor que lo hacía mucho más disfrutable. En su versión, los dramas familiares se volvían comedia, y las reacciones de cada miembro de la familia, una fiel caricatura. En casi veinte años no había olvidado la personalidad de ninguno y los imitaba al dedillo, arrancándome varias carcajadas. La única que se salvó de sus dardos fue mi madre. Esa semana me enteré de algunos secretos familiares: los primeros amores de mi tía Laura, que la habían conducido a practicarse un aborto; la celotipia de mi padre; la muerte misteriosa de un vecino que algunos atribuían a mi abuelo... Si todos tenían algún episodio negro en su historia, ¿por qué había sido él el único desterrado?

Se lo pregunté de la forma más delicada que pude y me respondió que fue él quien prefirió cortar el contacto para no sentirse juzgado en cada uno de sus actos y de sus elecciones.

—Pero ¿no te hace falta el apoyo de una familia?

—Si me gustaran las familias, habría formado una. ¿No crees?

Debí de abrir los ojos más allá de lo esperable porque mi tío estalló de risa.

—¡No pongas esa cara! Con el tiempo verás que tengo razón. Tú no eres como ellos. Lo supe desde que eras muy pequeña.

19

Su comentario me estremeció. Me halagaba que Frank me considerara más lista que el resto de nuestros parientes, a los que yo veía innumerables defectos, pero también me daba miedo ser distinta. Aunque me gustara la literatura, aunque me atrajeran las personas transgresoras y excéntricas como él, yo sí quería casarme y tener hijos. Me preocupaba muchísimo no conseguirlo jamás y, sobre todo, encontrarme algún día en un hospital sin el apoyo de nadie.

–Entonces, ¿tú ya me conocías?

Por toda respuesta, Frank me tomó de la mano. Era la primera vez que me tocaba –al menos en mi recuerdo–, pero sentí en su palma cálida y protectora, a pesar de sus circunstancias, una intimidad incontestable. En algún lado, probablemente en una de esas revistas de divulgación que circulaban en casa de mis abuelos, había leído algo acerca de la huella que dejan en nuestra memoria el tacto y el olor de quienes se relacionan con nosotros en los primeros años de vida. «La impronta», creo que se llama. Según el artículo, en esa huella corporal se afianzan los lazos familiares. Seguimos así varios minutos más, su palma mayúscula envolviendo la mía. Ni siquiera la presencia de las enfermeras hizo que nos soltáramos. Para mí fue un pacto silencioso, la promesa tácita de que no iba a dejarlo allí a su suerte.

Comenzaba el fin de semana. Aun con el pretexto de acompañar a Verónica, iba a ser difícil ausentarme de casa sin llamar la atención. Además, el sábado teníamos una boda y una comida el domingo.

Cuando se lo expliqué, me pidió que al menos intentara llamarlo por teléfono.

–Estaba muy tranquilo antes de que aparecieras. Ahora que te encontré, sospecho que voy a extrañarte.

–Le aseguré que iba a pasarme lo mismo.

Antes de volver a la universidad, pedí hablar con su médico. El especialista no estaba en ese momento, pero el de guardia pudo darme algunas explicaciones: tenía un tumor en el cerebro desde hacía varios años y ya no era posible darle ningún tratamiento, excepto administrarle cuidados paliativos.

Tuve que esconderme en el baño para que Verónica no me viera llorar. Ella, que intentaba con todas sus fuerzas mantenerse a flote durante la agonía de su madre, ¿qué habría pensado si me encontraba ahogada en lágrimas por alguien a quien apenas conocía?

El tiempo que pasé en compañía de mi familia pero lejos de él me pareció interminable. Durante la boda hice un gran esfuerzo para no reírme recordando las imitaciones que hacía de todos ellos. Hubiera preferido mil veces estar en su cuarto con olor a desinfectante que escuchando esas charlas tan repetitivas. Pensé en lo distintas que habrían sido todas nuestras fiestas familiares si él hubiera estado presente. Son extrañas las razones por las que puede caer sobre alguien el oprobio de sus propios parientes. A lo largo de los años he observado todo tipo de casos y he llegado a creer que casi nunca están relacionadas con cuestiones morales o de principios, sino con traiciones internas, quizás invisibles a ojos de los demás, pero imperdonables para el clan al que pertenecen o, por lo menos, para uno de sus miembros. El domingo por la mañana, mientras ayudaba a mi madre a preparar la comida, traté de sacar el tema.

–¿Qué te hizo el tío Frank para que dejaras de hablarle? –le pregunté tratando de restarle importancia al asunto. Su respuesta fue breve pero inequívoca.

–Portarse como un imbécil.

Ella estaba de buen humor ese día y me tranquilizó que recibiera mi pregunta con ligereza. Casi enseguida salió de la cocina para atender a sus invitados.

El lunes por la mañana, al volver al hospital, encontré a Frank con un respirador en la boca. Traté de ocultar mi tristeza. Hice alguna broma sobre el aparato y él sonrió bajo la máscara.

Ese día inauguramos la costumbre de ver películas juntos en su computadora. Pusimos primero *Blow Up* y luego *Las mejores intenciones*. Me sentaba en la silla de visitas y, desde ahí, volvíamos a tomarnos de la mano, a tocarnos de forma del todo desenfadada. Eran caricias casuales, casi distraídas, sobre la nuca o a lo largo de los brazos, pero que a mí me parecían deliciosas. Pasábamos horas así, sintiendo la piel del otro erizarse, mientras en su pantalla transcurría una historia a la que apenas prestábamos atención.

Todas las tardes, durante el trayecto en autobús, le hacía a Verónica el recuento de aquellas visitas. Le hablé del afecto que sentía por mi tío y le di los avances detallados de nuestros acercamientos, «hoy me rozó los labios», «hoy el borde de la oreja». Hasta que una tarde mi amiga me hizo saber que no contaba en absoluto con su complicidad.

—Parece que no te das cuenta de nada —me dijo con un tono muy tajante—. Estás en un grave riesgo. La verdad, harías mejor en no venir al hospital.

Fue poco tiempo después, quizás uno o dos días más tarde, cuando de manera intempestiva abrió la puerta de nuestra habitación para anunciarme que su madre había caído en coma. Más que sollozar, Verónica aullaba, y aunque era del todo justificado en esas circunstancias, me resultaba insoportable que Frank la viera así. Por eso le propuse que bajáramos a la cafetería. Una vez allí, pidió un café y dejó que la taza se enfriara entre sus manos. Yo en cambio apuré el mío, deseando volver cuanto antes a la unidad de terapia intensiva, pero sin atreverme a dejarla sola. Ninguna de las dos decía nada. Ella miraba fijamente su café, y yo el trasiego de los visitantes a través de la puerta principal. En medio de esa multitud distinguí a mi abuela, acompañada de mamá y de mi tío Amadeo.

—¡Van hacia el cuarto de Frank! —le dije a Verónica, desesperada—. ¿Cómo se habrán enterado de que está aquí?

—Fui yo —confesó ella sin levantar la vista—. Perdóname, pero me pareció que alguien debía protegerte.

Por poco la golpeo.

—Vuelve a tu casa y haz como si nada. Aprovecha que están subiendo.

En vez de seguir su consejo, salí corriendo hacia el ascensor para alcanzarlos. Apenas se abrieron las puertas escuché a lo lejos la voz alterada de mi madre, pero sus palabras eran del todo ininteligibles. Una vez enfrente de la habitación de Frank, pegué la cara a la puerta para escuchar. Lo que alcancé a oír fue lo siguiente: «... veinte años y cuando te la encuentras quieres

24

hacerle lo mismo». Una enfermera pasó en ese momento con el carrito de las medicinas y me dirigió una sonrisa cómplice. La respuesta de mi tío quedó oculta tras el tintineo de los frascos. Me pregunté cuántos secretos de familia se revelarían en aquel pabellón cada semana o, por el contrario, quedarían escondidos para siempre. No pude esperar más y abrí la puerta sin importarme las consecuencias. En cuanto estuve dentro se formó un silencio, interrumpido apenas por el monitor cardiaco, que con su gráfica oscilante denunciaba la agitación de Frank. En el cuarto, el aire era irrespirable. Había dolor en la mirada de mi madre y humillación en la de mi tío. Sentí pena por ambos.

Sin añadir una sola palabra, mamá me tomó del brazo como cuando era pequeña. Noté la presión de sus dedos tensos sobre mi piel, los mismos dedos que me habían alimentado, vestido y abrazado durante toda la vida. Ninguna ideología, ni siquiera el cariño que me inspiraba mi tío, podían oponerse a su tacto. Entre todas las improntas de mi infancia, la suya era sin duda la más fuerte. Permití que me condujera hasta la salida y después al estacionamiento donde había dejado su coche. Mi abuela y Amadeo permanecieron en la habitación. Me pregunté cómo sería para Frank tener las manos de su madre cerca.

Pasé la noche en blanco, observando las distintas intensidades de la lluvia. Debí levantarme al menos diez veces para ver si mi abuela había vuelto a casa. En una de esas excursiones, se me ocurrió meterme en el estudio y buscar las fotografías que había visto un par de semanas atrás. Esta vez no me detuve a mirar el álbum. Esparcí las imágenes recortadas sobre la alfombra como quien se dispone a armar un rompecabezas. Mi labor era imaginar o deducir las piezas faltantes. La habitación de mis padres se encontraba en el otro extremo de la casa. El peligro de que me sorprendieran era mínimo. Lo que no se me ocurrió pensar es que, como yo, también mamá sufría de insomnio esa noche. Cuando en el suelo no cabía ya ni una sola foto, descubrí que me observaba en silencio, en el quicio de la puerta. El camisón largo hasta los tobillos le daba la apariencia de un fantasma. Sus ojos hinchados delataban un llanto reciente. Guardé silencio unos minutos para ver si se animaba a darme alguna explicación, pero mi estrategia no tuvo éxito y preferí no insistir. Afuera había dejado de llover. Mamá se sentó a mi lado sobre el suelo y me ayudó a recoger las fotografías. Al terminar pusimos la caja en su lugar y nos instalamos en el sofá a esperar en silencio la salida del sol. Miré a mi madre de reojo y la encontré absorta en sus

26

propias cavilaciones. También ella debía tener muchas preguntas sin respuesta que, por respeto hacia mí, prefería no formular.

Ese día me fui a la clínica sin pasar ni una hora por las aulas de la universidad. Mi abuela me recibió con el rostro desfigurado por el cansancio. Le pedí que nos dejara a solas un momento y, para mi sorpresa, aceptó sin decir una palabra. Frank estaba semiconsciente. Con un gesto indeciso, metí la mano dentro de las cobijas y tomé la suya, buscando algún tipo de respuesta. Sin embargo, lo único que encontré en su piel esa mañana fue un pedazo de carne inerte y fría, un tacto del todo irreconocible.

LA COFRADÍA DE LOS HUÉRFANOS

No conocí a mis padres. Crecí en una institución del Estado en la que compartía cuarto con otros quince niños, quienes como yo lloraban por las noches en sus literas siempre que pensaban en las familias que habían perdido o en las que les hubiera gustado tener. Era un llanto discreto, pero contagioso como una gripe o como la varicela que también contrajimos en esos años y nos llenó el rostro de cicatrices. Comenzaba uno sollozando en su cama, y eso bastaba para que se propagara en todo el dormitorio; como si alguien hubiera abierto la llave del agua, el cuarto se inundaba de lágrimas. Durante el día, las diferencias entre nosotros eran muy notorias: unos huraños e iracundos, otros mustios y bien portados, algunos atléticos o más proclives a los juegos de estrategia, pero por la noche todos éramos huérfanos, y ese dolor nos hermanaba, al punto que hoy –muchas décadas después– seguimos buscándonos. A veces, en una boda, en un velorio o en cualquier otro evento social, coincido frente a frente con otro como yo. No hace falta que alguien me cuente su historia: hay algo en su mirada, en la forma en que se mueve o se comunica, que lo vuelve evidente, quizás no para los demás, pero sí para mí. Me ha pasado varias veces identificar a miembros de esta cofradía, la cofradía de los que llorábamos de noche por un mismo motivo y que de cuando en cuando lo seguimos haciendo.

A diferencia de varios de mis compañeros, que convivieron durante un tiempo con uno de sus abuelos, alguna tía o un familiar alcohólico, de cuyas manos terminaron arrancándolos, yo nunca tuve información sobre mi familia. Mis recuerdos más antiguos transcurren ya dentro del patio o del comedor del orfelinato, rodeado de una jauría de criaturas heridas e insatisfechas. Pasé años de mi infancia inventándome toda clase de historias acerca de mi origen. En una, mis padres morían en un incendio o en un accidente automovilístico, del cual yo era el único sobreviviente. Sus cuerpos estaban tan desfigurados por las llamas o el impacto que había sido imposible reconocerlos. En otra, mi madre era una adolescente embarazada por error a quien sus padres le habían arrebatado al bebé justo después de nacer. Hay tantas razones que explican la separación forzada entre una madre y un hijo... En la mayoría de esas historias, mi familia seguía viva y deseaba reencontrarse conmigo tanto como lo deseaba yo. A pesar de que todas las búsquedas que he iniciado –ya sea en los archivos de mi colegio o en los de los hospitales de toda la ciudad– han fracasado, a pesar de que nunca he conseguido saber ni el nombre de mi madre ni mi verdadera fecha de nacimiento, debo admitir que sigo creyendo en los milagros. Fue sin duda movido por esa tendencia optimista que el otro día, cuando encontré el aviso de SE BUSCA sobre un poste en el parque Acacias, sentí que se trataba de una señal del destino. Casi todos los letreros que aparecen en la calle sobre personas ausentes se refieren a mujeres. Son ellas sin duda las que con mayor frecuencia se esfuman sin previo aviso, y muy pocas veces de manera voluntaria. También los ancianos y los niños lo hacen. Los letreros así me entristecen sobremanera y sin embargo los miro siempre. No sólo los detecto al instante, también los leo de cabo a rabo, incluidos los números telefónicos, como si ese gesto de solidaridad fuera lo menos que pudiera hacer por quienes se han visto involucrados repentinamente en una situación tan angustiante. El cartel de aquel día informaba

31

de la desaparición de un hombre llamado Manu Carrillo. Tenía treinta y dos años y medía un metro ochenta y cinco. La fotografía que acompañaba el cartel mostraba a un hombre de pelo castaño, cara ovalada y ojos grandes. Aunque en el texto se aseguraba que carecía de señas particulares, sí podía distinguirse una mirada intensa y quizás atormentada, a juzgar por las ojeras inusualmente oscuras que se extendían hacia el nacimiento del pómulo. «Se le vio por última vez el 15 de marzo en su domicilio. Si alguien lo localiza, avise de inmediato a la señora Gloria Carrillo», y a continuación un número de teléfono. Supuse de inmediato que esa mujer era la madre de Manu, y la imaginé dando vueltas por su casa, desconsolada. Miré la fecha en mi reloj. Estábamos a 5 de abril. Si el cartel seguía vigente, la señora llevaba casi tres semanas sin noticias de su hijo. Recordé que en ocasiones un niño se escapaba del orfelinato, aprovechando alguna salida al cine o un descuido del personal de limpieza o de los profesores, que entraban y salían del edificio a lo largo del día. Cuando esto pasaba, todos sin excepción emprendíamos una búsqueda frenética. La mayoría de las veces el niño regresaba por sí mismo, poco antes del anochecer. Entonces se nos convocaba al comedor para sermonearnos. Nos hablaban de la suerte que teníamos de vivir ahí y de lo agradecidos que debíamos estar de no encontrarnos en situación de calle. «No se dan cuenta del privilegio que tienen», nos regañaban, «con tantos degenerados que andan sueltos por ahí, abusando de los menores.» También nos advertían que el Estado castigaba con mano firme a quienes, teniendo oportunidades como las nuestras, se salían del redil y cometían actos delictivos. Por lo visto, había lugares mucho peores que nuestro colegio, como los reformatorios o los hospicios de las periferias, «llenos de niños que no son como ustedes», a quienes sus padres habían dejado atrás en su periplo hacia el norte. Bastaba portarnos mal para ir a dar a uno de ellos. Por lo general, después de semejante discurso, el prófugo terminaba pidiendo perdón entre sollozos. Como castigo se le imponían tres horas extra de trabajo comunitario, limpiando los baños o fregando el suelo de la cocina. Luego todo volvía a la normalidad. Hubo sin embargo un par de excepciones. A Tere Valdivia la buscaron durante más de seis semanas y nunca regresó. Ernesto Miranda sí lo hizo, pero esa misma noche se ahorcó con los pantalones del uniforme en el fondo del gimnasio.

El parque Acacias, situado a una cuadra de mi casa, es el corazón de este barrio. Camino por ahí los fines de semana y, siempre que mi agenda me lo permite, antes de ir al trabajo. Conozco muy bien sus árboles, sus arbustos y a algunos de sus visitantes más asiduos, con los que no suelo intercambiar más de dos palabras pero cuyos movimientos observo con curiosidad; conozco también al quiosquero, al vendedor de paletas y a los barrenderos. He visitado todos los cafés que lo rodean y en un par de ellos los meseros saben lo que voy a desayunar sin necesidad de tomarme la orden. Aquella mañana no hacía realmente frío, pero caía sobre la ciudad una lluvia ligera. De las copas de los árboles se escurrían algunas gotas y también de los faroles. En el parque había muy poca gente. Me senté en la terraza del Café Walsh sin dejar de pensar en el cartel que acababa de ver. También ahí había pocos clientes —un par de señoras mayores de las que van a desayunar cada sábado, sin importar el clima que esté haciendo; un padre con dos niños y el doctor Lombardo—, así que me atendieron de inmediato. Frente a mí, un hombre leía el periódico en una banca. De cuando en cuando levantaba la nariz como si intentara identificar algún olor en el aire. Usaba un saco de lana marrón y una bufanda a cuadros. Debió sentirse observado porque de inmediato alzó los ojos y durante un segundo y medio me sonrió. Fue una mueca veloz pero conmovedora, como esos relámpagos que cruzan el cielo y anuncian, sin hacer ningún ruido, la llegada de la lluvia. Ese breve intercambio me bastó: el tipo era Manu, el hombre del anuncio. Di un par de tragos a mi café y, en un acto irreflexivo, me levanté de la mesa. Salí del Walsh y me dirigí al lugar donde había visto el cartel. Saqué el celular del bolsillo de mi chaqueta y marqué el número de la señora para avisarle que lo había localizado. La mujer respondió de inmediato y al escucharme emitió un suspiro que no era exactamente de alivio.

–No sé qué decirle. En la última semana han llamado más de diez personas asegurando que lo han visto y, cuando voy, nunca se trata de él. ¿Cómo voy a saber si usted encontró realmente a mi hijo?

–El lugar donde lo vi está cerca de aquí. Si quiere puedo ir y preguntarle su nombre.

–¡No! Por favor, no le hable, se lo suplico –contestó la mujer a la defensiva–. Si de verdad es él, lo más seguro es que salga corriendo. Le tiene miedo a la gente, ¿sabe? El pobre ha vivido experiencias muy duras y sigue fragilizado. Incluso podría atacarlo.

Guardé silencio unos segundos mientras decidía qué hacer. Entonces tuve una idea: volvería al café y desde mi mesa le tomaría a Manu una fotografía.

–La mando a su celular y así podrá juzgar por usted misma.

La mujer aceptó y me dio las gracias, no sin antes repetirme la cantidad de falsas esperanzas que la gente le había hecho albergar.

Cuando volví mi café estaba frío y le encargué al mesero que me cambiara la taza. Mientras lo hacía, le pedí que me tomara una foto, cerciorándose de que en el fondo fuera muy visible la cara del hombre sentado sobre la banca. La jugada fue tan buena que Manu ni siquiera se percató. Después de agrandarla un poco, y de recortarme, la mandé al teléfono de la señora Carrillo, quien respondió de inmediato: «Es mi hijo. No tengo dudas. Voy para allá. Sólo confírmeme que sigue en el parque».

Le mandé a la señora mi ubicación, pagué la cuenta dispuesto a seguir a Manu en caso de que se levantara de la banca y seguí tomando mi americano como si nada, mientras saboreaba el encuentro feliz que estaba por presenciar. Ahora, a la distancia, pienso que me hubiera gustado hablar con él, escuchar su historia y, sobre todo, interrogarlo sobre su relación con su madre, pues pocas cosas me intrigan más que las madres verdaderas, al parecer tan distintas de la versión idealizada que siempre he tenido de ellas. De haber sido así, quizás las cosas habrían tomado otro rumbo, y yo otras decisiones que me hubieran permitido sentirme mejor conmigo mismo. Rara vez juzgamos cómo debemos actuar basándonos en el presente, y mucho menos en la intuición del momento. Lo hacemos partiendo de las experiencias buenas o malas que hayamos tenido antes y en los prejuicios sobre la realidad que nos construimos a partir de éstas.

Algo de lo que había dicho la señora Carrillo sobre su hijo me pareció cierto una vez que lo tuve enfrente: Manu era un hombre fragilizado. Todos sus movimientos acusaban una enorme vulnerabilidad física y psicológica, y, sin embargo, qué distinta se veía su mirada ese sábado de la que mostraba la fotografía. Mucho más serena ahora, se diría, o por lo menos no tan atormentada. También sus ojeras parecían haber disminuido. Manu nunca se levantó de la banca. Permaneció ahí, apacible y despreocupado, incluso cuando un niño se instaló junto a él para comerse un aparatoso algodón de dulce. Si acaso se corrió un poco más hacia el extremo, procurando que su periódico quedara a salvo de aquella explosión de azúcar teñida de rosa fluorescente. Y así, en esa tranquilidad casi bucólica, transcurrieron unos quince minutos.

Luego, desde la esquina en donde está situado el café, vi estacionarse una ambulancia. Tenía la sirena apagada, de manera que apenas me percaté de su llegada. Se bajaron dos enfermeros en dirección del parque. Uno de ellos llevaba un maletín. Casi de inmediato apareció una mujer mayor en un Mercedes Benz. Sin moverme de la mesa pude ver cómo los hombres sujetaban a Manu mientras sus ojos volvían a cubrirse de congoja. Me dije que, aunque él tenía una madre, su mirada era exactamente la misma que la de todos los huérfanos. Sin oponerse, sin siquiera forcejear con ellos, dejó que los enfermeros lo llevaran hasta la ambulancia en la que habían venido y lo encerraran dentro. La mujer, en cambio, no se bajó del coche.

JUGAR CON FUEGO

> El diablo puede ser una nube, una
> sombra, una ráfaga que mueve las ho-
> jas. Puede ser el cubayo que cruza el
> cielo o un reflejo en el agua del río.
>
> LILIANA COLANZI

Las cosas habían comenzado a descomponer-
se hacía un par de meses. Aunque ya no era obligatorio, el confinamiento nos tenía locos a todos.
Además, por aquellas fechas se habían producido en nuestro edificio algunos eventos perturba-
dores. Una mañana, mientras me disponía a sacar
la basura, vi que alguien había pintarrajeado
nuestro pasillo con dibujos vulgares y amenazan-
tes. Llamarlos «grafiti» sería atribuirles demasiado valor. Eran dibujos feos, bastante rudimenta-
rios, hechos con gis, marcador indeleble y hasta
lápiz labial, pero tenían algo violento –algo que
iba más allá de la vulgaridad de unas tetas o de
unos genitales peludos–, probablemente la rabia
con la que habían sido ejecutados. Esa rabia se
me metió al cuerpo y se mezcló con la indigna-
ción que el asunto me producía. De inmediato
fui a buscar un trapo y un bote de jabón y le

pedí a mis hijos que me ayudaran a borrarlos. Dos días más tarde, las pintas volvieron a aparecer, esta vez sobre nuestra propia puerta.

—Tiene que ser algún vecino —decía mi marido—. Las pintas de verdad se hacen con aerosol y ese tipo de cosas, además ahorita casi nadie está saliendo a la calle.

Pero a mí esa explicación me asustaba incluso más. Que un vecino neurasténico la hubiera tomado contra nosotros era igual o peor de peligroso.

Días más tarde, todas las ventanas de nuestro departamento se atascaron como si alguien las hubiera cerrado por fuera, y después volvieron a funcionar milagrosamente. Una noche la llave del agua se abrió en la cocina mientras estábamos durmiendo e inundó el suelo del comedor. Al día siguiente, cuando pasaba la jerga sobre los mosaicos, pensé en mi abuela materna, quien interpretaba los sueños en los que aparecían agua e inundaciones como un presagio inequívoco de muerte. Por suerte no se trataba de un sueño sino de la realidad, una realidad tan inexplicable que tenía algo de onírico. Mientras tanto, mi esposo seguía tratando de tranquilizarme. Hablaba de ventanas descompuestas o de vecinos ociosos, pero yo no podía verlo todo como hechos fortuitos y sin conexión entre sí. Ya fuera en nuestro edificio, o en ese mundo contagiado al que casi no salíamos nunca, algo maligno parecía estarse apoderando de nuestras vidas. Eso le decía a mi marido mientras él me miraba con preocupación, a veces incluso con lástima.

—Te estás metiendo el pie tú solita, Gabriela. No puedes dejar que los miedos te sigan controlando. Revisa la historia: ya ha habido epidemias antes. Las pintas en las paredes las hace alguien, y no creo que nos estén dirigidas.

Sus palabras lograban calmarme durante unas horas, pero después recordaba los dibujos o volvía a escuchar ruidos en la cocina, y la inquietud regresaba con más fuerza.

Tampoco los niños estaban bien. Bruno había entrado a la secundaria en plena pandemia y llevaba casi un año estudiando en línea sin relacionarse con otros niños de su edad. El aislamiento y los cambios hormonales le generaban una impaciencia constante, a veces muy difícil de manejar. Para protegerse de su hermano mayor, Lucas adoptaba un perfil bajo y un comportamiento lo más discreto posible. Aunque nunca le han gustado los juegos de mesa, mi esposo proponía partidas de Risk y de Scrabble con tal de apartarlos de la pantalla. La idea del viaje fue suya.

—Vas a ver —me aseguró—. Un fin de semana

de respirar aire limpio bastará para devolvernos la cordura. Volverás siendo otra.

—¿Podemos llevar las bicicletas? —preguntó Lucas, que ya casi nunca abría la boca, y ese entusiasmo repentino nos pareció una buena señal.

Compraríamos un gran rack para llevarlas en la parte posterior del coche sin necesidad de desarmarlas. A Bruno, en cambio, la idea de pasar un fin de semana en el bosque no lo entusiasmó demasiado. Los insectos siempre le han dado miedo y siente asco cada vez que se ensucia las manos con tierra.

—Ya saben que a mí el campo no me gusta —protestó cuando le expusimos nuestro proyecto—. ¿No podemos ir a otro lugar?

Mi esposo nació en un pueblo rodeado de montañas y su familia es dueña de un gran vivero de flores que visitamos con frecuencia. Que su primogénito renegara de su origen era para él una afrenta personal, pero esta vez no dijo nada.

Dos semanas más tarde llegamos a Santa Elena, a ese lugar que en las fotos parecía idílico —un bosque viejo rodeado de montañas—, pero que en la realidad resultó serlo menos de lo que hubiéramos deseado.

La cabaña donde nos hospedamos era pequeña y funcional, pero no bonita. Tenía una cama grande en la parte de abajo y un tapanco de madera demasiado pegado al techo. La cocina-comedor estaba afuera, y para llegar a ella había que cruzar un pequeño jardín. Todo esto suscitó nuevas quejas de Bruno. A nosotros en cambio el alojamiento nos pareció adecuado para pasar tres noches. Además, el plan no era estar metidos ahí dentro durante todo el día, sino pedaleando en el bosque o alrededor del lago.

El viernes por la mañana subimos a las bicicletas con el pícnic repartido sobre nuestras espaldas. Hacía calor en Santa Elena. Era la última semana de abril. El sol estaba en su cúspide, y los árboles tan secos que parecían de arena. Mientras avanzaban sobre el camino de tierra, nuestras ruedas levantaban grandes nubes de polvo. Poco antes de llegar a donde iniciaba la pista, encontramos el lago. Nos bajamos un momento para apreciarlo bien. Bruno insistió en que nos quedáramos ahí el resto del día, pero los demás teníamos ganas de seguir avanzando y de recorrer el circuito que habíamos detectado en el mapa, un camino de baja dificultad conocido como Mago de Oz.

–Entonces sigan ustedes –insistió–. Yo me quedo aquí leyendo hasta que regresen. Sólo déjenme mi comida.

–Vinimos a estar juntos y a hacer ejercicio –contestó su padre–. ¿No te basta con estar echado todos los días? Mejor deja el drama y agarra tu bicicleta.

—¡Yo no quería venir! —le dijo Bruno—. Odio el campo. Está hecho para animales como tú.

Su reacción me sorprendió. Por toda respuesta, mi marido le arrancó el libro que tenía entre las manos y lo metió en su mochila. Luego sujetó a Bruno del brazo y lo obligó a levantarse del tronco donde se había sentado. El pobre no tuvo más remedio que obedecer y subir de nuevo a la bici.

—¡Eligieron bien el nombre! —exclamó Lucas en cuanto llegamos al circuito—. ¡El camino es totalmente amarillo!

A pesar de su buen ánimo, yo no me sentía cómoda. Además de creer en el poder simbólico de los sueños, mi abuela vivió convencida de que los espacios naturales tienen guardianes invisibles pero poderosos y que en el bosque es posible percibirlos. «Hay que ser respetuosos con ellos», me advertía. «Si los ignoras pueden ponerse en tu contra.» Yo nunca había sentido a esos espíritus, pero al entrar en aquel camino me pareció que el suelo, las rocas, los árboles y el cielo formaban las extremidades de un ser cuya conciencia nos observaba.

Los minutos que siguieron los pasamos en silencio, pedaleando entre curvas de terracería, una alfombra de hojas secas y, a los costados, hileras interminables de árboles. Lucas y mi marido iban delante y yo los seguía alerta, tratando de no perder de vista a Bruno, que, sin dejar de quejarse, avanzaba con una lentitud deliberada, varios metros atrás. Tener hijos es estar siempre esperando a alguien.

Fastidiado por la actitud de su hermano, Lucas se alejó pedaleando frenéticamente sin importarle si iba solo o acompañado. Como muchas otras veces, me sentí dividida entre las exigencias de mis dos hijos.

—Tú sigue con él si quieres —propuso mi marido—. Yo puedo esperar a Bruno.

No tuve más remedio que subir a mi bicicleta y perseguir a Lucas, que avanzaba a toda velocidad entre los árboles.

Tenía la impresión de estar retrocediendo vertiginosamente sobre mis pasos no sólo como si ya hubiéramos dado varias vueltas por el mismo circuito —cosa que seguramente estaba sucediendo—, sino como si antes, en un sueño o en una vida anterior, hubiéramos paseado varias veces por ese bosque. En eso pensaba cuando nos encontramos de frente con Bruno. Caminaba empujando su bicicleta con fastidio, como si fuera un lastre.

—¿Por dónde te fuiste? —le pregunté—. Tu padre te estaba esperando. ¿No lo viste?

Pero Bruno no contestó a mis preguntas. Siguió avanzando con la boca fruncida. Sus ojos, más oscuros que nunca, estaban rodeados de dos ojeras incipientes.

–Este lugar está lleno de bichos. ¿Podemos regresar a casa hoy mismo?

–Alquilamos la cabaña por tres noches. ¿Lo recuerdas?

–¿Y eso qué? Nadie va a impedir que nos vayamos. ¿O sí?

Sabía que cuando se ponía de mal humor resultaba mejor no contradecirlo y esperar a que cambiara de ánimo. Era obvio que estaba cansado y tenía hambre, así que no dije nada más.

Nos costó trabajo decidir hacia dónde dirigirnos. Bruno insistía en que la salida estaba en la dirección opuesta a donde su hermano y yo decíamos. Para no contrariarlo, más que por convicción, Lucas y yo decidimos dar media vuelta y pedalear una vez más sobre nuestros pasos. Diez minutos después, encontramos el sendero principal y en una orilla vimos sentado a mi esposo con una expresión hostil idéntica a la de Bruno. Aunque adoraba a mi hijo, me pareció injusto que su mal humor arruinara nuestro viaje.

–Yo creo que lo mejor es comer de una vez –dijo mi marido resignado mientras sacaba de su mochila un mantel rojo y blanco.

46

El lugar era perfectamente anodino y por lo tanto muy poco propicio para hacer un pícnic, nada comparado con el lago, con las colinas o con la vista panorámica que prometía el mirador, pero otra vez preferí no hacer ningún comentario. Me senté en el suelo, miré hacia arriba y me dejé hipnotizar por las copas de los árboles.

Bruno se acercó a la mochila, la revolvió exasperado hasta encontrar la cantimplora y bebió de ella desaforadamente.

—¡Oye, barbaján! —gritó mi marido—. ¡No te acabes el agua! Es para todos.

Entonces, sin que nadie lo viera venir, escupió el buche que tenía dentro de la boca a la cara de su padre como para justificar el insulto. Sin tomar siquiera un minuto para secarse, éste empezó a perseguirlo con la mano en alto. Seguí observando un rato más la danza de los árboles mientras a lo lejos despuntaban los gritos de Bruno.

—¡Mamá, ayúdame! No dejes que papá me pegue.

Sonreí con el mismo distanciamiento que había sentido hasta entonces, segura de que mi marido jamás se atrevería a tanto.

Se hizo un silencio largo. Me giré intrigada para ver qué sucedía y vi que mi esposo asestaba nalgadas a nuestro hijo mayor. Al terminar sacudió la mano como para desentumecerla y comprendí que lo había golpeado con fuerza. Lancé sobre él una mirada incrédula y llena de reproche que él esquivó de inmediato. Luego, con el ceño aún fruncido pero fingiendo que no pasaba nada, sacó las cosas de la mochila y acomodó los alimentos sobre el mantel. Bruno se alejó de nosotros con la cara cubierta de lágrimas. Cada dos o tres pasos pateaba con rabia las hojas secas.

Sentí una arcada de asco al ver la comida. Mi estómago era una piedra que pesaba en el centro de mi cuerpo.

–¿Por qué hiciste eso? –pregunté furibunda.

–Ese niño es un grosero. ¿No te das cuenta? –contestó con la boca llena de pan–. Se merecía un castigo.

–El que no se da cuenta eres tú –protesté–. Está creciendo. ¿No ves cómo lo tienen las hormonas? Si nosotros estamos nerviosos por la pandemia, él está sufriendo el triple. ¿Y a ti lo único que se te ocurre es humillarlo?

Mi esposo no contestó. Respiré hondo tratando de recuperar la calma.

–Mira –le dije un poco después–. Yo creo que Bruno tiene muchas cosas que decirnos y no sabe cómo hacerlo.

–Pues en vez de provocarnos que nos escriba una carta.

—Yo también tengo muchas cosas que decirles —intervino Lucas.

Le acaricié la cabeza con ternura y me puse de pie, tratando de adivinar el rumbo que había tomado su hermano.

Mis botas se hundían en las hojas secas como en arenas movedizas, pero por más que avanzaba no conseguía encontrar un solo rastro de mi hijo. Los árboles eran todos idénticos y por lo tanto resultaba muy difícil orientarse. Lo único seguro es que me había alejado de mi familia, pues ya no llegaban hasta mí las voces de Lucas y mi esposo, pero tampoco los sollozos de Bruno. Volví a sentir la punzada de angustia dentro del pecho. «Va a pasarle algo malo», recuerdo que pensé. Mientras caminaba, le pedí al espíritu del bosque que protegiera a Bruno y me llevara hasta él. A cambio, estaba dispuesta a pagar cualquier precio, así fuera una parte de mi cuerpo o incluso mi propia vida. Lo enuncié así de claro, con la voz de mi mente, bastante segura de que los espíritus suelen cobrarse este tipo de promesas intempestivas.

Fue entonces cuando lo vi, sentado a unos metros de distancia y sollozando. Me acuclillé a su lado y lo rodeé con mis brazos como he hecho siempre, desde que era pequeño.

—Tranquilo —le dije—. Todo va a estar bien.

—Detesto a papá. —Su voz gutural era casi irreconocible—. No entiendo por qué estás con él todavía.

Como si mi hijo fuera un árbol rebosando resina, sentí la rabia y la tristeza que exudaba su cuerpo. Lo vi como un ser a medio camino entre el niño que había sido y el adulto que iba a ser.

—Es sólo un periodo difícil entre ustedes. Vas a ver cómo después se reconcilian.

Bruno se limpió las lágrimas y me miró con incredulidad.

—Ahora vámonos de aquí. Necesitas comer algo. Traje una tableta de tu chocolate favorito.

Al principio se resistió un poco, pero terminó accediendo y regresamos juntos, caminando muy despacio, hasta el lugar donde los otros dos daban cuenta del postre. Mi esposo seguía cabizbajo, y me pareció que la calva que exhibía su coronilla había aumentado unos centímetros de diámetro. Los cuatro guardábamos silencio. Gracias a eso me fue posible escuchar al viento susurrar sobre nosotros en una lengua distinta de la nuestra, pero que de ningún modo sonaba extranjera. Metí la mano en mi mochila y saqué el paquete de cigarrillos. Luego me alejé para fumar sin molestarlos. Dejé que el sabor astringente del tabaco inundara cada una de mis papilas gustativas, esquivando las miradas de desaprobación que de cuando en cuando me lanzaba mi marido.

Comer le hizo bien a Bruno –siempre he notado que su humor cambia mucho según el nivel de azúcar que tenga en la sangre–. Su cuerpo supuraba menos infelicidad y su olor volvió a ser el de todos los días.

Lucas y mi esposo guardaron las sobras del pícnic en la mochila y al terminar subieron a sus bicicletas, pero Bruno se negó a seguir pedaleando. Tuve que prometerle que volvería con él a pie hasta el campamento para que recogiera su bici del suelo y aceptara llevarla a la cabaña. El viento ya no cantaba y el sol pegaba menos fuerte.

Al llegar me di una ducha y cuando terminé le pedí a los niños que hicieran lo mismo. Cuando todos estuvimos limpios del polvo del camino, nos pusimos a jugar al Scrabble en la mesita del jardín. Recuerdo que fui yo quien obtuvo el primer turno en el sorteo, y también que sentí un escalofrío cuando vi que las siete letras que aparecieron sobre mi base de plástico verde formaban la palabra SATANAS. Tragué saliva y ésta se me atoró en la garganta. Modifiqué el orden de las fichas y escribí SANTAS sobre el tablero, como quien echa agua ahí donde se derramó la sal, a pesar de que quitar una letra me daba un puntaje menor. Justo después pensé en mi marido diciendo: *Te estás metiendo el pie tú solita. No puedes dejar que los miedos te sigan controlando.* Bruno ha sido siempre muy bueno con las palabras —es el mejor de su clase en lengua y literatura— y en el Scrabble es como si las letras le obedecieran. La primera que colocó fue PAYASO, luego esperó un par de turnos y escribió ZAFIO y VIOLENTO, ocupando una casilla que valía triple tanto de palabra. Al principio no nos dimos cuenta, pero después empezó a resultar obvio que aquellos insultos en masculino (no ponía otra cosa) estaban dirigidos a su padre. Conozco a mi marido y, aunque esta vez no dijo nada, sé que volvió a ponerse furioso. Seguramente se sentía atrapado en ese juego en el que pierde todas las partidas no por falta de vocabulario, sino por mala ortografía.

Apenas oscureció, subimos al lugar designado para las fogatas. Llevábamos en las mochilas la parrilla y los alimentos. Bruno recogió leña como le ordenó su padre y después se sentó en una roca a observar cómo él y su hermano acomodaban los troncos en forma de pirámide, dejando huecos por debajo para que circulara el aire. Nadie le pidió que se involucrara y, como era de esperar, él tampoco lo hizo. Perfectamente coordinado con su padre, Lucas se ocupó del fuego toda la noche, haciéndome sentir no solamente segura sino también orgullosa de su cautela. Por lo menos uno de nosotros tiene un carácter mesurado, recuerdo que pensé. Después de comer, Bruno y yo recogimos todo y lavamos los trastes canturreando canciones de los Beatles. Antes de las diez nos fuimos a la cama, agotados por los eventos del día, pero en la madrugada me despertó un tirón en la manga de mi camiseta.

—Mamá, ¿puedo quedarme aquí contigo?

Abrí los ojos desconcertada. Hacía varios años que Bruno había dejado de pasarse a nuestra cama.

—¿Ocurre algo, mi amor? ¿Por qué no estás durmiendo?

—Tengo miedo. No me siento bien aquí.

Me volví hacia mi esposo, quien roncaba en la otra orilla, con la cara girada hacia el muro de piedra, y me le acerqué con sigilo, dejando que nuestro hijo ocupara el extremo opuesto del colchón. Bruno se acurrucó contra mí y casi de inmediato se quedó dormido. Un rato más tarde me despertó la voz indignada de mi marido.

—Ni creas que vas a quedarte aquí —dijo con un tono que a mí me pareció innecesariamente severo.

—Tuvo una pesadilla —respondí yo en su defensa.

—Pues que se consuele solo. Ya no está en edad de dormir con mami.

No quería discutir frente a los niños, así que

53

no me quedó más remedio que tragarme mi rabia. Bruno salió de las sábanas sin decir nada. Hice lo mismo y lo acompañé al tapanco. Me acosté a su lado y esperé hasta que se quedó dormido. Cuando regresé a la cama ya no tenía sueño. Estuve observando un buen rato la respiración de mi esposo reflejada en el movimiento de su espalda. Mientras tanto, las imágenes del día anterior volvieron a mi mente como las piezas de un rompecabezas: las peleas, el escupitajo, las nalgadas que recibió mi hijo y finalmente las letras que había visto en el Scrabble. Me pregunté quién era realmente el espíritu del bosque y a quién le había pedido protección para mi hijo. Salí de la cabaña y encendí un cigarro. No había luna, pero tampoco se veían las estrellas. El cielo no podía ser más oscuro. Llevaba apenas un par de minutos afuera cuando escuché los pasos discretos e inconfundibles de Lucas que se acercaban a mí.

—¿Mamá? ¿Qué estás haciendo? —preguntó con su vocecita amodorrada.

—Nada, mi amor. Sólo estoy aquí, pensando.

—¿En qué?

—En que a veces tengo ganas de destruirlo todo.

A diferencia de su hermano, que me censura siempre que me ve fumar, Lucas no dijo nada acerca del cigarro. Sólo me abrazó en silencio con actitud cariñosa y regresó a su cama sin que yo se lo pidiera.

Por la mañana, Bruno se levantó mucho más tarde que de costumbre. Apareció en la cocina cuando el desayuno estaba listo.

—Tienes un buen radar —le dije en tono bromista—. Estaba a punto de servir tu plato. Mira, ahí está la Nutella.

Señalé el frasco con el mentón mientras colocaba una crepa humeante frente a él.

—¿Cómo te sientes? ¿Pudiste dormir un poco más?

No respondió. Exactamente igual a como hacía su padre, Bruno clavó los ojos en el plato. Los dos comieron en silencio. Lucas y yo intentábamos en vano aligerar el desayuno hablando de futbol, uno de los pocos intereses que compartimos los cuatro.

—Les toca recoger la mesa y lavar los trastes —dijo mi esposo cuando terminamos de comer—. Hoy haremos un circuito un poquito más largo que el de ayer. No se olviden de llenar sus cantimploras.

Esta vez ni siquiera Lucas se mostró entusiasmado. Me imaginé pedaleando de nuevo junto a Bruno, haciendo todo para convencerlo de que avanzara otro rato. Pero a mi esposo no le interesaban nuestras opiniones. Sacó un rollo de papel de baño de la alacena y salió rumbo a la cabaña con pasos decididos. Apenas lo vieron entrar por esa puerta, los niños corrieron hacia el jardín, indiferentes a la orden que habían recibido. Debo admitir que su complicidad me alegró. Me apuré a fregar los platos para evitar que los regañara su padre hasta que escuché los gritos de Bruno.

–¡Aléjate de ahí ahora mismo! –le decía a Lucas con desesperación–. ¿No ves que se está quemando?

Salí de la cocina y constaté lo que ya me temía: junto a mis hijos había fuego, un arbusto encendido y sobre el suelo una decena de llamas pequeñitas, pero increíblemente veloces, que parecían saltar hacia todas partes. En vez de atender al pedido de su hermano, Lucas las miraba absorto, casi divertido, como si estuviera viendo un video en internet y no los primeros signos de un incendio en el momento extremadamente fugaz en el que aún es posible detenerlo.

En el correo que nos habían mandado con las reglas del lugar, nos advirtieron que la vegetación estaba muy seca y por lo tanto era altamente inflamable: «Para apagar tus fogatas usa agua en vez de tierra. Si no, pueden volver a encenderse». Corrí a la cocina en busca de un garrafón que habíamos llevado al campamento y empecé a regar profusamente el arbusto encendido, pero era demasiado tarde. Las llamas habían alcanzado ya las plantas de junto y la hierba pajiza que se extendía sobre el suelo. El agua desaparecía en cuanto tocaba esa tierra agrietada como una lengua sedienta. «Por favor, por favor, por favor», repetí muchas veces en voz baja dirigiéndome a vaya a saber quién, probablemente a los guardianes del bosque, para que impidieran lo que estaba a punto de ocurrir. Pero en vez de mejorar, la situación empeoraba vertiginosamente, y terminé por perder la calma.

–¡Auxilio! ¡Fuego! –grité para alertar a la gente–. ¡El bosque se está incendiando!

También grité el nombre de mi esposo, esperando que la angustia en mi tono de voz lograra sacarlo del baño, sin importar lo que estuviera haciendo. Dos guardabosques aparecieron en la cocina y nos ordenaron juntar toda la tierra posible mientras una encargada llamaba por radio para pedir auxilio. Segundos después noté que las llamas habían alcanzado la copa de un árbol altísimo que teníamos enfrente y ya subían por el tronco de otro aún más alto, llenando el aire de un humo negro y espeso, muy difícil de respirar. Todas las plantas de alrededor ardían y las llamaradas de los árboles alcanzaban el cielo. Tomé a mis hijos de la mano y los obligué a correr conmigo hasta el coche. Justo en ese momento apareció mi marido.

–¡Se quema el bosque! –le dije–. Debemos irnos de aquí.

Le llevó un tiempo precioso comprender lo que estaba pasando, pero al final reaccionó.

–¡Váyanse ustedes si quieren! –dijo–. Yo me quedo.

Cinco hombres acudieron al llamado por radio. Con una organización sorprendente, como si ya antes hubieran ensayado varias veces aquella coreografía, formaron una fila mientras un guardabosques les iba entregando una herramienta a cada uno. En cuanto la recibían, entraban a la zona de desastre, donde el aire era tan denso que resultaba imposible seguirles la pista. Mi esposo se unió a ellos sin despedirse de nosotros y desapareció en la humareda como un zombi. Encendí el motor del coche y recé para que saliera vivo de ahí. No llevaba nada, excepto a mis dos hijos, mi bolsa y mi celular. A unos metros de ahí, vi nuestras bicicletas cuidadosamente estacionadas, los cascos nuevos colgaban de los manubrios. Todo lo demás había quedado dentro.

En el asiento trasero del coche, Bruno lloraba. Respiré hondo y me eché en reversa para tomar el camino que conducía a la autopista, pero no pude evitar buscar a mi esposo en el espejo retrovisor. El fuego había llegado a las oficinas y ya no tardaría nada en alcanzar la cabaña donde estaban nuestras cosas. Sobre el bosque se extendía una gran nube negra. Los hombres que antes corrían acarreando herramientas habían desaparecido en la humareda y ya no se distinguía ahí ningún ser humano.

–¿Qué va a pasar con papá? –dijo Lucas. Su comentario me enterneció.

–No lo sé, mi amor. Esperemos que no se arriesgue demasiado.

Por primera vez desde que vi el arbusto encendido, me pregunté qué había ocasionado el fuego, y si ellos tenían alguna responsabilidad en el asunto. ¿O acaso había sido yo la que, al pedir protección, había sacrificado de manera irresponsable la vida de mi esposo? Para ahuyentar ese pensamiento, interrogué a mis hijos. Lo hice a bocajarro y sin ocultar mi enojo, pero ellos sólo guardaron silencio.

–Fue él –gimió Bruno.

Pensé que una vez más intentaba culpar a su hermano de lo que había hecho. Era casi una costumbre, pero esta vez Lucas no se defendió. Se limitó a ignorarnos y a girar la cabeza hacia Santa Elena. Su actitud me sacó de quicio. Más que nunca necesitaba certezas, no desplantes infantiles o preadolescentes, así que detuve el coche en medio del camino para hablar con ellos.

–Lucas, quiero que me mires a los ojos. ¿Es verdad lo que está diciendo?

–Sí mamá, lo hice yo –contestó con esa calma tan suya que me pareció incongruente con todo lo que sucedía–. Yo encendí el arbusto.

–¡Además, mira! –me ordenó Bruno, sujetando con fuerza el brazo de su hermano. Sobre la piel de mi hijo menor vi un dibujo, hecho con bolígrafo, idéntico a los que habían aparecido en nuestro edificio.

–Y también atoró las ventanas.

Lo encaré atónita.

–¿Tú supiste desde el principio que lo estaba haciendo Lucas y no me dijiste nada?

–¡No es a mí al que debes regañar! –respondió.

Necesitaba hacer una pausa para pensar, así que me bajé del coche con la intención de encender un cigarro, pero por más que revolví el interior de mi bolsa no logré encontrar la cajetilla. Cerré las puertas con seguro para evitar que los niños salieran y me puse a caminar algunos metros. Un grupo de campesinos pasó cabalgando frente a mí. Seguramente se dirigían al incendio, hacia las nubes rojas y negras que se habían apoderado del horizonte. Mientras caminaba, me pregunté si realmente conocía a esos niños que había parido y criado con tanto esmero durante años. Pensé también en lo injustas que pueden ser las lealtades –cuando yo era capaz de renunciar a cualquier aspecto de mi vida por mis hijos, ellos tenían pactos de solidaridad que me excluían–. Su padre, por otro lado, había elegido ayudar a los campesinos y a los árboles, en vez de venir con nosotros. No sentí ningún tipo de resentimiento hacia él, al contrario, deseé que estuviera a salvo y que aquella decisión le ganara la buena voluntad de los espíritus. Aunque mis miedos me pedían a los gritos que volviera al coche y siguiera conduciendo hacia la carretera, esta vez decidí no escucharlos.

Volvimos al campamento un par de horas después, y la atmósfera que encontramos era ya muy distinta. Los campesinos habían logrado hacer un cortafuego sacrificando un cerco muy extenso de árboles alrededor del incendio para controlar la situación, mientras los rescatistas formaban cadenas humanas en dos direcciones y hacían llegar las cubetas de agua hasta los confines del bosque, para impedir que las brasas volvieran a encenderse.

Mi esposo era uno de los eslabones. Me costó trabajó reconocerlo, pues sus piernas, sus brazos y su cara habían adquirido el mismo color de los árboles. Sus facciones acusaban el cansancio acumulado en su cuerpo, incluso sus Crocs, deformados por el calor, estaban ahora investidos de una nueva e insólita dignidad. Lo recibí con un abrazo amoroso que me sorprendió a mí misma. Luego busqué con la mirada a mis hijos y vi a Lucas observando, con una expresión complacida, los escombros de nuestras bicicletas y de nuestro fin de semana. La cabaña, en cambio, estaba a salvo.

—Mira mamá —exclamó Lucas, apuntando con el dedo hacia la puerta—. Ahí siguen tus cigarros.

Y era verdad. Todas las cosas que habíamos dejado sobre el rellano seguían intactas, como las habíamos dejado la noche anterior, pero nosotros ya no éramos los mismos.

LA PUERTA ROSADA

En mis sesenta y tres años de vida, jamás me había pasado por la cabeza contratar los servicios de una prostituta. Si acaso fui yo quien de joven intercambió sexo por favores –como una buena cena y una cama caliente– cuando anduve de mochilero por Europa. Podría decir que fue Lili, mi mujer, quien plantó la semilla en mi consciencia con un comentario casual que desencadenó una larga serie de pensamientos y acciones. Una tarde, mientras paseábamos por el barrio sobre una de las callejuelas solitarias que colindan con la nuestra, Lili me hizo notar un negocio nuevo, aunque en realidad lo que había allí era una puerta muy estrecha de color rosa chicle con pequeños corazones azules y verdes en tonos pastel. Parecía la entrada al cuarto de una adolescente. La tarde estaba cayendo e iluminaba con una luz violácea el suelo empedrado del callejón y sus paredes grises, haciendo que el color de aquella puerta resaltara con un fulgor inusual. Supongo que fue esa luz la que nos permitió reparar en ella.

—¿Ya viste lo que hay ahí? —comentó emocionada como una niña. Se había parado sobre la punta de los pies para mirar mejor.

Muy arriba sobre el muro, dos coquetas ventanitas se abrían hacia fuera como párpados soñolientos. Más que diseñadas para ver el exterior, su función parecía ser ventilar sin permitir que los peatones miraran adentro. Haciendo un esfuerzo, sin embargo, era posible distinguir algunos objetos decorativos que volvían el lugar aún más desconcertante. Mi esposa me señaló el candelabro con cuentas de vidrio —¿o era plástico?— color naranja que colgaba del techo. Junto a la pared, un largo globo rojo con efecto metálico formaba la palabra *love*.

—¡Qué espacio más extraño! —exclamó Lili, consiguiendo despertar en mí la misma curiosidad que ella sentía—. ¿Ya lo habías visto?

—Nunca.

—Eres tú el que siempre vuelve a casa por esta calle. No puedo creer que no te hayas fijado.

—Pues sí, pero antes no estaba. Apareció ahí de la noche a la mañana. Tal vez la pintaron ayer mismo —contesté a la defensiva.

–Si fuera así, olería a pintura fresca, ¿no crees? Lo más probable es que lleve semanas ahí y nosotros no lo hayamos notado.

–Tal vez sea la habitación de una chica que acaba de independizarse –aventuré, y me habría quedado contento con esa explicación si mi esposa no hubiera contratacado.

–No he conocido a ninguna mujer en edad de independizarse que siga teniendo globos en su habitación –contestó ella, muy segura de sí misma–. ¿No será más bien el local de alguna prostituta o de su chulo?

Yo en cambio estoy convencido de que no existe edad para el mal gusto, pero estaba cansado y quería volver a casa lo antes posible, así que opté por darle la razón.

–¡Ni se te ocurra asomarte por ahí! –me dijo entre seria y juguetona, apuntándome con el dedo.

Hice como si el asunto hubiera dejado de interesarme por completo, pero en realidad ocurrió todo lo contrario. Durante esa misma semana volví a pensar en el lugar en distintas ocasiones. Cuando menos lo esperaba, la puertita aparecía en mi pantalla mental, sólo que ahora entreabierta y como invitándome a pasar adentro. Una noche imaginé que me asomaba a través de ella y entonces me era posible observar a la dueña de esa habitación: una estudiante, de piel suave y morena, que retocaba en ropa interior el esmalte de las uñas de sus pies. La imagen produjo un movimiento en mi entrepierna tan inusual en los últimos tiempos que no pude sino sorprenderme, la erección más contundente que había tenido en años. A mi lado, con la cabeza hundida en una pila de cojines, mi mujer roncaba. Miré el reloj: eran las doce y veinticinco de la noche. Pensé en salir de casa a hurtadillas y caminar hasta la calle Mariposa, pero casi de inmediato recordé la voz de Lili prohibiéndome tajantemente acercarme a aquel negocio. Me pregunté cuándo había sido la última vez que ella y yo habíamos tenido sexo y, por más que lo intenté, no logré recordarlo.

Mentiría si dijera que Lili no era una esposa controladora. Desde antes de casarnos se encargó siempre de decidir todas y cada una de las cosas importantes relacionadas con nuestra familia. Fue ella quien eligió el traje y los zapatos que compré para mi boda, el nombre de nuestra hija, así como las casas que alquilamos durante las primeras décadas. Una vez que reunimos el dinero suficiente para comprar un terreno, ella escogió este barrio y dirigió a sus anchas la construcción. No me quejo, sus gustos y los míos eran casi siempre compatibles, y debo reconocer que durante años su carácter decidido me ahorró muchos dolores de cabeza, pero también es verdad que con frecuencia me hacía sentir avasallado. Mi estrategia para sobrevivir consistía en ocupar las zonas grises, aquellos intersticios que de tan insignificantes escapaban a los tentáculos de mi mujer. Cosas como elegir la marca del café o la forma de separar la basura me permitían preservar mi dignidad, pero no alcanzaban para amasar una cantidad suficiente de entusiasmo vital y tampoco para disminuir el resentimiento que me produjo durante décadas no ser dueño de mi destino. Tal vez por eso, cuando descubrí el efecto que ese local producía sobre mí, decidí ignorar la prohibición de acercarme y asumir la rebeldía hasta sus últimas consecuencias. No fue fácil mantener esa convicción. Varias veces caminé por la calle Mariposa con la esperanza de atravesar la puertita, pero ésta siempre estaba cerrada. Las ventanas tenían los vidrios abajo la mayoría de las veces y el esmerilado hacía imposible percibir lo que ocurría ahí adentro. Nada en aquel muro llamaba la atención. Las piedras parecían inmersas en ese sueño profundo y aletargado que las caracteriza casi siempre. Incluso el color de la madera se me antojó más opaco, como diluido.

Fue el jueves 24 de septiembre –lo recuerdo con exactitud, pues ese día Clara, nuestra hija, cumplía treinta y un años– cuando se produjo la primera anomalía. Clara iba a venir por la noche a celebrar con nosotros. La había llamado temprano para felicitarla y conversamos despreocupadamente unos minutos. Luego pasé varias horas intentando concentrarme en una proyección de seguros que debía entregarle a uno de mis clientes. El trabajo me aburría, así que opté por levantarme del escritorio. Encontré a mi esposa en la cocina. Había empezado a preparar el pastel que cada año cocinaba para nuestra hija. Le faltaba extracto de vainilla y me pidió que fuera al supermercado a conseguirlo. Puse mi habitual mueca de fastidio a fin de evitar sus sospechas, pero en el fondo me alegraba tener un pretexto para salir a esa hora.

El sol había comenzado a bajar y la calle Mariposa se había pintado una vez más de violeta. Una mujer y un hombre conversaban frente a la puerta ahora abierta. La mujer estaba de espaldas, de modo que me fue imposible saber mucho sobre ella, excepto que era delgada y caderona. Tenía el pelo lacio y negro, recogido bajo una gorra roja de exactamente el mismo tono que su camiseta. El hombre vestía de manera similar. Parecían los empleados de un cine o de una cadena de hamburgueserías. Desde mi posición era posible ver un poco el interior del cuarto: el candelabro naranja seguía apagado, y junto al muro de piedra me pareció distinguir una cama, lo cual apoyaba la teoría de mi esposa acerca de la naturaleza de aquel negocio. El hombre abrió el maletero de un coche y se puso a bajar varias cajas de cartón más bien pequeñas, como las que se usan para transportar libros, aunque consideré poco probable que ése fuera el contenido. No quería que me vieran merodeando por ahí, así que di media vuelta y me fui directo a la tienda. Compré el extracto de vainilla y regresé caminando lo más rápido que pude. El hombre y la mujer no estaban, pero la puerta seguía entornada. Ya habían encendido la luz dentro del cuarto, y el globo metálico que colgaba del muro reflejaba los destellos que había visto la primera vez. La cama en cambio había desaparecido. En su lugar había un sofá y frente a él una mesita de centro.

—Puede pasar si quiere —dijo una voz tan dulce que sentí ganas de hacerle caso.

Fue entonces cuando vi que había alguien sentado en el fondo, delante de lo que debía de ser un armario o, en el mejor de los casos, la entrada al baño. Vestía igual que los otros: pantalón negro, camiseta roja y una gorra del mismo color. Era imposible descifrar su género. Sobre sus rodillas, una caja de dulces igual a las que pasean los vendedores de golosinas en los cines y los teatros poco antes de que empiece la función.

¿Qué hacía ahí esa persona en actitud de trabajo como si hubiera clientes a quienes vender? Su único comprador potencial, al menos en ese momento, era yo. Por un instante, pensé en preguntar de una vez por todas qué tipo de lugar era ése, pero no lo hice, probablemente porque me parecía obvio que los dulces eran una tapadera y que preguntar no sólo iba a resultar incómodo, sino que pondría a todos los involucrados a la defensiva.

—Lo siento, pero mi mujer me espera para preparar un pastel de cumpleaños y ya perdí mucho tiempo. A estas alturas debe estar enojada, y si no regreso pronto, es a mí a quien va a meter al horno.

Mi interlocutor levantó el rostro. Se trataba de una chica de pelo muy corto y grandes ojos castaños que clavó sobre mí con actitud de súplica.

—Llévese al menos una de nuestras golosinas, le endulzará el regreso —dijo con la misma suavidad de antes, mientras me extendía una bolsa de celofán con un caramelo diminuto—. Es una muestra, no voy a cobrarle nada por ella.

No quise ser descortés, así que acepté su regalo y me lo metí a la boca. De inmediato, un sabor anisado se esparció por mi lengua. En general me gustan las golosinas, pero hay sabores que me vuelven loco y uno de ellos es el de anís.

70

Mientras lo disfrutaba, caminé velozmente, resignado al regaño de mi esposa.

Entré a casa respirando de prisa para hacerle saber que había corrido, pero en vez de encontrar a Lili junto a la estufa, con el delantal lleno de harina como la había dejado hacía casi cuarenta minutos, la vi sentada en el sofá, absorta en una película cómica de esas que a mí me entretienen y ella nunca acepta ver. Primero me dije que había decidido prescindir del extracto de vainilla, pero tampoco había olor a pastel, y en la cocina ni un rastro de que hubiera estado cocinando.

–Discúlpame, cariño –dije con un tono falsamente compungido–. Había mucha gente en la tienda. ¿A qué hora llega Clara? ¿Te dará tiempo de terminar su pastel de cumpleaños?

Sólo entonces mi mujer desvió la vista del televisor con actitud extrañada.

–Creo que te confundiste –dijo–. Su cumpleaños es en un mes.

Soy un hombre despistado y por eso habría creído de buena gana que se trataba de un malentendido si no hubiéramos pasado parte de la tarde planeando el menú y revisando los ingredientes de la cena.

–¿Ya no es 24 de septiembre? –pregunté con ironía.

–Sigue siéndolo, pero Clara cumple el 25 de octubre. ¿No recuerdas en qué fecha nació tu propia hija?

Por supuesto que lo recordaba. Lo había escrito decenas de veces en toda clase de documentos oficiales a lo largo de mi vida y estaba seguro de que no era durante el mes de octubre.

Dejé que Lili siguiera viendo su película y subí al estudio para llamar a Clara. En el fondo se escuchaba un estruendo de aeropuerto con todo y la voz metálica que llama a los pasajeros a abordar, era obvio que no tenía la menor intención de venir a casa esa noche.

–Papá, ¿te puedo llamar en dos horas?

Debió de haber notado confusión en los balbuceos que alcancé a emitir porque enseguida preguntó:

–¿Pasa algo? ¿Mamá está bien?

–Todo en orden –le dije–. Sólo quería saludarte.

El desconcierto me acompañó toda la noche. Mientras intentaba inútilmente conciliar el sueño, me pregunté si no empezaba a sufrir algún tipo de demencia, como insinuaba Lili con regularidad, y si debía buscarme un neurólogo.

Trabajé toda la mañana siguiente intentando no pensar en nada que no fueran cálculos y probabilidades, pero en cuanto el calor bajó y el cielo empezó a oscurecerse, regresé a la calle Mariposa atraído por el misterio. Ya estaba encendido el candelabro cuando llegué y vi la puerta entornada. Tuve la sensación de que alguien me estaba esperando. Esta vez mis pies se detuvieron no en el umbral, sino a varios metros de distancia. Otro esperaba junto a la puerta. No llevaba uniforme. Más que un empleado de cine se parecía a cualquiera de mis vecinos. Antes de tocar, se arregló el cuello de la camisa y se ajustó los pantalones. Le abrieron casi enseguida. La calle estaba vacía, de modo que me animé a acercarme e incluso a pegar el oído. Logré escuchar las vibraciones de un diálogo que yo interpreté como íntimo pero que quizás era sólo muy discreto. No quería que me vieran espiando frente a la casa, el cuarto o lo que fuera ese lugar, de modo que me puse a caminar de ida y vuelta por la calle vacía. ¿Qué esperaba encontrar exactamente? Me lo pregunté mientras deambulaba con ansiedad alrededor de la cuadra. La hipótesis de mi esposa había despertado en mí un morbo particular y también la conciencia de haber deseado, durante muchos años, no sólo desobedecerla sino hacer algo verdaderamente transgresor. Irme de putas, a unos cuantos metros de mi casa, sin duda lo era. Pero ¿realmente se dedicaba a eso aquel negocio? No estaba tan convencido. De ser así, tampoco estaba seguro de que me atreviera a llegar hasta el final. La sola posibilidad me provocaba una mezcla de susto y exaltación que hacía muchísimo tiempo no experimentaba, y esto, por sí solo, ya era una ganancia.

El hombre tardó en salir un poco más de media hora, justo cuando había decidido marcharme. Observé con detenimiento la expresión alegre de su rostro y sentí una especie de envidia –a la vez que admiración– por ese individuo, mucho más osado que yo, que se había animado antes a resolver el enigma de nuestro vecindario. Seguramente habría bastado con interceptarlo y preguntarle lo que había descubierto, pero yo quería ver y oír por mí mismo, y no a través de alguien más. Cuando la calle volvió a quedarse sola, empujé la puerta con timidez, pero sin dudarlo un solo segundo.

–Adelante –dijo una voz desde el fondo–. Pase con toda confianza. Lo estábamos esperando. –Reconocí a la chica que me había dado el caramelo diminuto.

Desde que era un muchacho, mi manera de combatir la vergüenza ha consistido siempre en hablar sin detenerme, y esa tarde me pertreché en ella. Le expliqué a la vendedora que había esperado algún tiempo antes de decidirme a ir, que no era mi costumbre salir de casa y que sin duda ayudaba que hubieran abierto aquel local tan cerca de mi domicilio, donde trabajaba como independiente. Dije también –y me arrepiento de ello– que con mi esposa las cosas no andaban tan bien desde hacía algunos años, para ser exactos desde que ella se había retirado y permanecía en casa diciéndome constantemente qué hacer y qué no. Para concluir mi larga perorata, le aseguré a la vendedora que me hacía falta una emoción suplementaria y abrí mucho los ojos para subrayar que se trataba de una insinuación. Al recordar aquel día no puedo sino ruborizarme y sentirme anegado por una nostalgia profunda, ya que desde entonces mi vida jamás ha vuelto a ser la misma.

–No se preocupe –contestó la señorita–. Estamos aquí para ayudarlo con lo que necesite. A eso nos dedicamos.

Creí que en ese mismo momento me llevarían a la parte trasera del negocio o, en el peor de los casos, que la chica iba a levantarse para cerrar la puerta de entrada y comenzar a desvestirse sin más preámbulos. Pero lo único que hizo fue sacar un muestrario, un muestrario de dulces.

–Elija uno –sugirió mientras hojeaba las páginas de aquella carpeta de plástico transparente.

Con la misma verborrea que había mostrado hasta entonces, le comenté que el caramelo de anís de la tarde anterior me había parecido delicioso y que con gusto me comería uno igual, sólo que esta vez agradecería que fuera más grande.

La vendedora me sonrió complacida. Con sus dedos largos y delicados sacó un dulce del muestrario y lo metió en una bolsita transparente.

–Son quinientos pesos en esta ocasión, señor Moncada.

La cantidad me pareció excesiva –habría podido pagarla por el servicio que yo esperaba o en su defecto por cinco bolsas de caramelos en el súper–, pero mi relación con esa gente apenas estaba comenzando y no quería dar una mala impresión, así que traté de ocultar mi sorpresa.

–¿Qué incluye exactamente este precio? –pregunté lo más naturalmente que pude.

–El dulce y sus consecuencias –dijo ella adoptando súbitamente un aire muy serio–. ¿Tiene más familia, señor Moncada? ¿Comparte su vida con alguien además de su esposa o hay alguna persona que importe mucho para usted? –preguntó la chica.

Sólo entonces tomé conciencia de toda la información que le había dado a esa mujer sobre mi vida privada, pero una cosa era ser indiscreto y otra muy diferente que ella me hiciera preguntas. Pensé en la posibilidad de que fueran a extorsionarme.

–No. Sólo estamos ella y yo –respondí tajantemente.

Mientras saboreaba el caramelo, di las gracias a la vendedora y salí de ahí a toda velocidad, dispuesto a no regresar jamás.

Cuando volví a casa, el coche de mi esposa no estaba en el garaje. La puerta de la cocina, que siempre dejamos abierta, tenía llave esa tarde. Todas las persianas estaban abajo y, a pesar de que aún no había oscurecido, vi encendida la luz de la entrada principal. En el comedor, encontré una nota con la letra de Lili: «Estaré en el juzgado hasta las seis. Vuelvo para la cena». Hacía años que mi mujer no trabajaba en un caso, y mucho más que no iba personalmente al tribunal. Con el corazón acelerado me dirigí a la cocina, saqué del refrigerador un pescado y unos vegetales y me puse a prepararlos, como había hecho durante años, en los tiempos en que mi mujer trabajaba fuera y que probablemente hayan constituido la época más feliz de mi vida. Dos horas después Lili volvió. La falda ajustada que llevaba puesta le sentaba a la perfección. Los kilos que había perdido no fueron lo único que me dejó impresionado: también usaba el pelo largo, muy bien cortado, y ya no tenía en la cabeza ni un solo mechón de canas. Me dio las gracias por la cena, se sirvió varias copas de vino y se puso a hablar animadamente del juicio de aquella mañana y de los involucrados, dando por hecho que a mí todavía me interesaban esos detalles, y en efecto –para mi absoluta sorpresa– volvieron a interesarme. Poco después, Lili se sentó en mis piernas y empezó a desabotonarme la camisa. Sentí por ella un deseo incluso superior al que solía despertarme cuando nos conocimos. Me dije, mientras deslizaba mis labios por su cuello, que en realidad quinientos pesos era un precio irrisorio.

Permanecí así una semana, disfrutando intensamente de la nueva situación. Lili iba al juzgado por las mañanas y yo me quedaba solo, trabajando en mis proyecciones de seguros y en recuperar el territorio dentro de casa. Por las tardes me esmeraba preparando cenas deliciosas que siempre tenían un desenlace feliz, ya fuera en la sala o en nuestro dormitorio. ¿Quién necesitaba pensar en contratar a una desconocida cuando Lili encarnaba la mejor versión posible de sí misma? Aunque ya tenía identificado el origen de todos esos cambios, pensar en ello me rebasaba. Para no darle vueltas, decidí asumir que la vida siempre había sido así, y que seguiría de ese modo indefinidamente, que, en vez de volver de la tiendita de dulces aquella tarde, había despertado de una larga siesta, y que los años de infelicidad conyugal no eran otra cosa que un mal sueño. Mi vida con Lili era tan armoniosa en aquel momento que me pregunto si no hubiera sido mejor dejarla así para siempre.

Alrededor de la tercera semana empecé a echar en falta algo que al principio no logré identificar.

—¿Has tenido noticias de Clara? —le pregunté a mi mujer una tarde, poco antes de la cena.

—¿Quién es Clara? —contestó ella.

No pude cocinar esa noche. Tratando de ocultar al menos parcialmente la ansiedad que me consumía por dentro, dejé todo en la cocina y, sin siquiera quitarme el delantal, fui a encerrarme en mi estudio. Busqué sin éxito el número de mi hija en mi celular. Tampoco encontré ninguna de sus fotos. Sin resignarme a creerlo, tecleé su nombre completo para encontrarla en internet, pero fue inútil. Recordé mi entrevista con la vendedora de dulces y me culpé de no haber contestado con la verdad. Al excluir a Clara de mi relato, la había borrado de mi nueva vida. Tuve la sensación de haber sacrificado estúpidamente lo que más me importaba en el mundo a cambio de unos años de felicidad conyugal. Fui por una botella de whisky a la cocina y ahí me quedé llorando de rabia e impotencia durante toda la noche.

Al día siguiente volví a la calle Mariposa a pedir que me devolvieran a mi hija.

—Está totalmente fuera de nuestras posibilidades, señor Moncada, y aunque pudiéramos sería injusto indemnizarlo: el error fue suyo. Ocultó información fundamental que le solicitamos. Si en alguna ocasión vuelve a contratar nuestros servicios, es muy importante que nos diga la verdad. Así evitaremos este tipo de inconvenientes.

Puse todo mi empeño en adaptarme a la vida que tenía en aquel momento, lo juro por mis antepasados, pero mi remordimiento era insondable. Lloraba con frecuencia y a cualquier hora del día o de la noche, ante la mirada estupefacta de mi esposa. Por si fuera poco, yo tenía cincuenta y siete años; Lili, cuarenta y uno. A pesar de mis esfuerzos no pude sostener el ritmo que me exigía. Cada mañana amanecía exhausto, con la sensación de haber sido vampirizado. Para agotarme un poco menos, empecé a pedir comida a domicilio dos veces a la semana. Hacia las seis de la tarde, llamaba a los restaurantes favoritos de mi esposa: la trattoria siciliana, el tailandés de la calle Encinos. Al principio, ella lo tomó bien, pero pasado un mes comenzó a preocuparse por el gasto que implicaba.

–Trabajo como una mula mientras tú estás en casa. ¿Ni siquiera puedes encargarte de la cena?

Las cosas empeoraron cuando me rebelé a la obligación implícita de coger todos los días. En cuanto comenzaba con sus arrumacos, me alejaba de ella y me encerraba en mi estudio o me ponía a ver la tele. Lili expresaba sin tregua su mal humor y su resentimiento. Los reproches no cesaban. Una mañana amenazó incluso con abandonarme.

—Muy bien. ¡Déjame! —le contesté en un arranque de sinceridad—. Seguramente así viviré más tranquilo.

Pero ella no lo hizo. Recogió su bolso y sus carpetas, se subió a sus tacones y salió de casa como si no hubiera dicho nada. Por la tarde volvió del juzgado hambrienta y con la misma exigencia de sexo. Seguimos así varias semanas más, en un estire y afloje entre sus necesidades y las mías. Era como si a pesar de sí misma mi mujer estuviera atada a la casa y a mi cuerpo. Mi vida había dejado de ser aburrida para volverse un infierno. No tuve más remedio que regresar a la tiendita.

—¿Cómo le va, señor Moncada? ¿Hay algo que pueda hacer por usted?

La vendedora me recibió con su acostumbrado aire benefactor, pero esta vez tanto su actitud como toda la puesta en escena me resultaron apenas soportables.

Aunque nadie me invitó a hacerlo, me senté en el sofá y luego me recosté sobre él, irrespetuosamente. Sin frases introductorias, y sin ninguna reciprocidad hacia su afectada cortesía, le conté con pelos y señales mi situación doméstica.

—Hay demasiada diferencia de edad entre mi

esposa y yo. Necesitamos tener el mismo nivel de energía para poder entendernos –concluí–. ¿No podría hacernos jóvenes a los dos? –pregunté mientras me incorporaba.

La vendedora me miró a los ojos como si buscara algún insecto microscópico albergado en los dibujos de mis iris.

–Podría, señor Moncada, pero la juventud acarrea un gran número de inconvenientes. No sé si usted todavía los recuerda.

–Y también muchas ventajas –respondí–. Entre ellas, la posibilidad de comenzar de nuevo y corregir varios de nuestros errores.

–Piénselo bien. ¿Está seguro de que quiere hacerlo? Volver de ahí no le será tan fácil.

Acepté en una valentonada, sin hacer caso de sus advertencias.

Esta vez el precio se multiplicó por diez. Pagué con una transferencia bancaria, esperando una mejoría proporcional en mi vida. Fue la última vez que vi mi cuenta bancaria en buena salud. Me comí el caramelo ahí dentro, muy quitado de la pena, y cuando me levanté del sofá sentí por todo el cuerpo un vigor que no me esperaba.

Esa tarde Lili y yo teníamos veinte años y estábamos recién casados. Como las otras veces, la fecha seguía siendo la misma, al igual que la casa, sólo que con un mobiliario considerablemente más rústico. A lo lejos escuché el ruido de una aspiradora. En nuestro pequeño refri, encontré un cartón de huevos y una docena de cervezas. Destapé una al instante y me senté en la silla que había junto a la puerta de entrada, con las piernas muy abiertas, en una postura que me pareció acorde con la edad que ahora tenía. Permanecí así unos minutos apreciando lo bien que andaba mi vista. En el cielo no había ninguna nube, y el sol lo inundaba todo de una luz que me pareció esperanzadora. Poco después llegó Lili, vestida con un par de shorts y una camiseta que ponía su espalda al descubierto.

La urgencia que abultaba mi entrepierna era tan intensa que me resultó difícil de controlar.

–Si ya terminaste de barrer el garaje, ¿podrías echarte la cocina? –dijo.

–Si tengo que echarme algo, prefiero llevarte a la cama –contesté con patanería.

Mi mujer frunció las cejas.

–¿Tomaste alguna droga sin decirme? Estás actuando muy raro.

–No tomé nada, bombón. Excepto un dulce que me dieron en la tienda de la calle Mariposa –y me puse a reír, sorprendido de mi propio cinismo.

–¡Te pedí que nunca te acercaras a ese lugar! ¿Qué parte no entendiste?

Resultaba fascinante ver cómo algunas de las cosas que habíamos dicho o hecho en el futuro (no sé de qué otra manera llamar a los demás tiempos) seguían siendo vigentes en esta nueva época.

–¡No te enojes, bonita! Esas chicas no son como tú sospechas. Son malignas de otra manera.

Lili se sopló el fleco en señal de fastidio y volvió a cargar la aspiradora.

–Termina rápido con tus obligaciones. A ver si después nos da tiempo de ir a comer algo al mercado.

Su propuesta me enterneció. La Lili de cuarenta años jamás habría aceptado almorzar en un lugar como ése, humilde y callejero pero delicioso. Me dije que había hecho bien en volver al origen de nuestra pareja, en el que aún había mucho que rescatar. Sin embargo, muy pronto descubrí que no iba a ser nada fácil.

En esta nueva versión, Lili era aún más autoritaria que en todas las anteriores. Por si fuera poco, tenía un sentido de la limpieza especialmente estricto. Para acercármele con intenciones eróticas debía bañarme y afeitarme previamente. El sexo era un premio que me otorgaba cuando obedecía sus órdenes o sus constantes peticiones sin discutir u oponer algún tipo de resistencia. Y yo necesitaba su cuerpo de la misma manera en que

84

antes necesitaba mis antiinflamatorios y mis somníferos. Ahora que estábamos recién casados, su objetivo, al parecer, era instaurar una serie de reglas muy claras e inviolables dentro de nuestra convivencia; el mío, en cambio, era corregir todas las estupideces que había cometido a lo largo de mis vidas anteriores. Otra vez estábamos insertos en un constante estire y afloje. No negaré que en más de una ocasión pasó por mi mente regresar al negocio para pedir otro dulce, pero apenas tenía el dinero suficiente para pagar la mitad del alquiler. Y aunque me hubiera alcanzado, no estoy seguro de haber optado por ello: lo que cambia demasiado pronto –lo descubrí gracias a aquel lugar– también puede dar fastidio, un hastío con el que no se puede vivir.

Un día, mientras caminaba por la calle Mariposa, volví a ver a los vendedores uniformados descargando nuevas cajas de cartón de una furgoneta, y recordé la tarde de septiembre en que mi mujer y yo descubrimos aquel extraño lugar. ¿Dónde había quedado Lili, la verdadera, la que había recorrido conmigo todos aquellos años de felicidad, desgracias y aburrimientos, la madre de la hija que tuve durante treinta y un años y de la que ahora no podía hablar con nadie? Entonces, a pesar de todas mis reticencias, no pude sino entrar y suplicarle a la vendedora que nos volviera a poner como estábamos al inicio de todo, antes de que modificara la fecha de cumpleaños de Clara.

–Nada que haya cambiado alguna vez puede volver a ser exactamente como era, señor Moncada. No se da cuenta de que cada versión anterior es distinta a lo que usted recordaba. Puedo intentar envejecerlo otra vez, si de verdad lo desea, pero ¿quién le garantiza que ahora sí le gustará su vida? Sinceramente, lo veo muy poco probable.

Le expliqué a la vendedora que, aunque mi cuerpo estuviera fuerte, me sentía demasiado exhausto mentalmente como para tener veinte años. Que a estas alturas me parecía muy difícil dormir en un colchón tan malo, comer pizza cada tercer día, pasar mis fines de semana en ruidosas discotecas y, lo que era peor, carecía del entusiasmo necesario para volver a vivir otras cuatro décadas.

–Usted ha hecho muchos cambios en un periodo muy corto de tiempo. Deje que pasen los meses. Recuperará la energía poco a poco, conforme vaya olvidando su historia y su identidad anterior.

Sentí un escalofrío y pregunté:

–¿Y si eso no sucede?

–Entonces puede trabajar con nosotros. Ya verá, ser testigo de la vida de los demás es muy entretenido y mucho menos cansado. Incluso puede mudarse aquí si así lo prefiere.

La oferta me horrorizó, de modo que preferí cortar el diálogo de inmediato y cerré la puertita, resuelto a no pisar nunca más aquel lugar. Caminé por un barrio que apenas reconocía sintiendo sobre los hombros el peso de la añoranza. Por la ventana de casa, vi a Lili absorta en cortar vegetales. Me quedé observándola un par de minutos sin decidir si era mayor la sensación de extrañeza o de familiaridad que me producía. La chica que estaba ahí no era mi esposa sino su prototipo, pero –por mucho o poco que me gustara– era también lo único que me quedaba de ella. Cuando me descubrió detrás de la ventana, mi mujer sonrió sorprendida, dejó el cuchillo sobre la mesa y fue a abrirme la puerta. Una vez adentro me abracé a su cintura y ahí, en el umbral de la cocina, le aseguré que ahora sí me sentía listo para formar una familia. Que trabajaría fuerte para que no nos faltara nada y que siempre tendríamos en la alacena extracto de vainilla.

UN BOSQUE BAJO LA TIERRA

En el jardín de mis padres vivió durante muchos años una araucaria. Su tamaño descomunal para ese predio le daba un aspecto ligeramente monstruoso, sobrenatural. En una época remota, la casa había pertenecido a mis bisabuelos, a quienes nunca conocí, de modo que el árbol ya aparecía en las fotos en blanco y negro que papá conservaba en un cajón de su escritorio. Sus hojas formaron desde siempre una parte importante del paisaje familiar y de mi vida. Quizás por esa razón, pero también por su presencia imponente, yo lo veía como al abuelo que nunca tuve, o en todo caso como a un ser ancestral y protector. Los árboles como ése viven más de mil años. A mi padre le encantaba decirlo, siempre con el mismo tono maravillado. En realidad nadie sabía con exactitud la edad del nuestro, y por supuesto tampoco cuándo ni en qué circunstancias había sido plantado, pero a papá le gustaba pensar que aquella araucaria era el miembro más saludable de su familia. Según él, tenía mucho más tiempo por delante que cualquiera de nosotros. La verdad, puesto que nadie conocía su edad, no sé de dónde sacaba esa certeza. He escuchado que un año en la vida de un perro corresponde a siete de existencia humana, en cambio nadie ha sabido decirme cómo comparar la edad de una persona con la de un árbol así. Lo cierto es que si hubo un lugar en el mundo en el que llegué a sentirme segura fue sobre aquellas ramas. Desde muy chica aprendí a trepar tan alto que nadie podía alcanzarme. A veces, cuando visitábamos algún parque o los jardines de nuestros conocidos, hacía el intento de subir a otros árboles, pero la experiencia era totalmente distinta: sentía claramente su incomodidad –incluso su resistencia– bajo la planta de mis pies. Mi araucaria en cambio me daba siempre la bienvenida. Cada vez que me sentía infeliz, me ocultaba en su copa y ahí encontraba consuelo. No era la única. Miembros de especies muy diversas coincidíamos allí: pájaros, sobre todo, pero también ardillas y gusanos azotadores, que al menor descuido te lastimaban la piel con un ácido candente. Cada uno tenía sus costumbres y sus necesidades. Algunos se alimentaban de las hojas, otros de la madera. Para ellos el árbol era una fuente de vida; para mí, un apoyo emocional y un escondite.

Con mi familia, en cambio, la cercanía era mucho menor. Apenas intercambiaba algunas palabras al día, durante el desayuno o antes de irme a dormir. Cada uno de nosotros parecía vivir en una película distinta. Laura, mi hermana mayor, protagonizaba una comedia romántica en la que el peinado y la ropa tenían una importancia capital. Sergio, el de en medio, parecía un adolescente de Jim Jarmusch, mientras que mamá era una matrona de Fellini: se encontraba constantemente exhausta, si no es que de mal humor. Cuando nos dirigía la palabra era para gritarle a Laura que bajara el volumen de la música o para ordenarme a mí que me metiera a bañar. La película de mi padre transcurría fuera de casa, tanto en su oficina como en sus frecuentes actividades sociales. La mía, en un bosque privado en el que nadie, excepto yo, se aventuraba jamás. Arriba de la araucaria yo lo observaba todo: el ir y venir de mis vecinos, a mi hermana y sus patéticos pasos de baile frente al espejo, a Sergio con la cabeza metida en la computadora durante horas, a mis padres discutiendo a los gritos dentro de su habitación. Visto desde allí, todo lo que me agobiaba parecía más pequeño y pasajero, incluso insignificante.

La edad nos aturde a todos, nos cierra los sentidos. Quizás por eso conforme fui creciendo me alejé poco a poco de mi árbol. La escuela, los amigos, las distracciones de la vida cotidiana me apartaron de sus ramas. No es que hubiera dejado de necesitarlo, sino que ya no me daba cuenta. Ya no trepaba por su tronco y mi película de aventuras en el bosque se transformó en un drama mudo, filmado principalmente en interiores, sobre todo en mi cuarto. Desde mi cama o desde el sofá de la sala miraba la araucaria sin verla. Sólo de cuando en cuando alguna visita –una de esas amigas de papá, efímeras como los hongos en época de lluvia– hacía algún comentario sobre su belleza, y entonces también nosotros nos fijábamos en ella. Aquella mirada ajena nos permitía maravillarnos e incluso sentirnos orgullosos, como si tener una araucaria en casa fuera un mérito nuestro y no un favor de la suerte. No fui la única que cambió en esos años. Laura empezó a menstruar y a ir a las fiestas, acompañada siempre por el mismo amigo. En casa estábamos tan absortos en nosotros mismos que tardamos en comprenderlo: el árbol, en apariencia inalterable, también había empezado a envejecer. Lo primero que noté fue la ausencia de pájaros en sus ramas. Me di cuenta una mañana de escuela en que no los escuché cantar y me quedé dormida. Al asomarme por la ventana comprobé con estupor que las hojas, habitualmente verdes y flexibles como agujas de caucho, mostraban un color marrón opaco, estropajoso. Saqué la mano por debajo del vidrio para tocarlas, y cayeron al suelo fulminadas. El tronco, antes robusto, había adquirido una apariencia frágil, quebradiza.

Los insectos eran los únicos animales que seguían frecuentando la araucaria con la misma asiduidad. Algunos incluso parecían haber proliferado. Pero eso tampoco duró mucho tiempo. Una vez, al salir de casa para ir a clase de ocho, encontré un cementerio de bichos a sus pies. Se veían tan marchitos como el tronco que les había servido de sustento. Dejé la mochila en el suelo y me dediqué a enterrarlos con decoro, primero bajo un mantillo húmedo, luego con graba y piedras más grandes. Recogí mis libros y salí de casa para llegar al menos a la clase de diez. Después de la cena, mientras la televisión transmitía el noticiero del Canal 40, mi hermano me preguntó por el árbol. Quería saber desde cuándo estaba así, y también cómo eran los insectos que había encontrado en el jardín.

—No debiste cubrirlos de tierra —me dijo con tono de reproche—. Habríamos podido catalogarlos y saber si uno de ellos es el que tiene al árbol así.

Me puse a describirle las víctimas lo mejor que pude, una por una, mencionando su color, su tamaño y su forma, su apariencia antes y después de estar muertos. Sergio apuntaba todo en una libreta. Laura y papá escucharon la conversación en silencio. Sentados frente a la mesa de la cocina, especulamos durante más de una hora hasta que la voz de mamá tronó desde la escalera, advirtiendo que eran las once y media.

El sábado mi padre decidió llamar a un experto. Fue la primera vez, hasta donde yo recuerdo, que un jardinero visitó nuestra casa. Todos salimos a recibirlo. Apenas entró, el hombre miró la araucaria de arriba abajo. Se inclinó y golpeó con una varita metálica las raíces y la base del tronco donde supuraba en mayor cantidad una resina espesa y blanquecina. Había algo desgarrador en ese líquido espeso, como si se tratara de un llanto o un pedido de auxilio. El jardinero cortó una hoja, la dobló, la revisó de cerca y la olió varias veces antes de emitir su veredicto.

–Está prácticamente muerto. Va a ser difícil salvarlo.

A pesar de nuestra insistencia, no supo explicar el origen de la enfermedad, ni darnos ningún consejo para combatirla. Recibió su paga y se marchó dejándonos perplejos y desesperados. No pude dormir esa noche y fui a refugiarme a la habitación de mi hermano. Sergio me mostró una hoja de papel donde había impreso imágenes de algunos insectos iguales a los que le había descrito, junto a otros que yo nunca había visto. Abajo estaban sus nombres en latín. Me contó que los escarabajos aterciopelados se llamaban *Nemonychidae*; los de trompa, *Curculionidae*, y los gusanos de color cobrizo, *Lepidoptera psychidae*.

—Todos ellos conforman las especies simbióticas con las araucarias. Están por todo el continente. No creo que sean estos animales los que la están enfermando.

Durante más de un mes observamos la descomposición del árbol sin saber qué hacer. Me gustaría decir que nos empeñamos en salvarlo, pero no es verdad. Lo que hicimos, sobre todo, fue lamentarnos y especular acerca de posibles plagas y parásitos que ni siquiera conocíamos. Mi hermano siguió investigando en internet sin encontrar nada convincente. Estábamos en abril y las noches eran tan calurosas que costaba trabajo dormir. Aun así, yo evitaba abrir la ventana para no recibir el tufo a podredumbre. Prefería salir del cuarto y bajar las escaleras hacia la sala donde la temperatura era más soportable. Una vez me encontré a mi padre leyendo en el sofá. Frente a él, en la mesita de centro, se alzaba una gran pila de cuadernos. Me senté a su lado sin hacer ruido para no interrumpirlo. Al verme, puso una mano sobre mi pierna.

—Son los diarios de tu abuelo —me explicó, mirándome a los ojos—. Estoy tratando de saber si también a él le tocó ver enferma a la araucaria.

—El jardinero dijo que estaba casi muerta —le recordé con miedo a entristecerlo todavía más.

—Ese hombre no sabe nada. Todos los seres vivos se enferman de cuando en cuando. Es normal que uno destinado a vivir durante siglos sufra en algún momento de su vida, ¿no crees?

Pasaron los meses y el árbol se volvió tan lúgubre y reseco como los que aparecen en *Nosferatu*. Fue entonces cuando el asunto trascendió los límites de la familia. Los vecinos hablaban de lo peligroso que era mantenerlo ahí y enumeraban los posibles escenarios. Decían que, aun si en el exterior era un cadáver, una plaga terrible acechaba dentro de él y podía extenderse a todas las plantas del barrio. Por si fuera poco, estaba situado frente a un poste de luz: si alguna vez se venía abajo, la madera seca iba a desatar un incendio. Una tarde, la señora Meyer, la de la casa de junto, llegó a tocarnos la puerta. Era una mujer muy amable y por eso mi madre —que definitivamente no lo era— la hizo pasar al comedor, donde Laura terminaba una tarea de dibujo. Mientras sorbía con traguitos compungidos su té de manzanilla, la señora Meyer comenzó a hablarnos de la araucaria. Después de darle varias vueltas al asunto, terminó por sincerarse y pidió, así sin más, que la derribáramos. Nos quedamos atónitas.

–Si no lo cortan, ese árbol se va caer y destruirá nuestras casas –dijo con tono de quien intenta establecer complicidad. Pero fue en vano.

Mi madre estaba furiosa. Echó a la vecina con un montón de groserías y le dijo, mientras Laura le abría la puerta, que antes de talar la araucaria tendrían que matarla a ella. Se quedaría allí mientras viviéramos en esa casa, y lo último que estaba en nuestros planes era mudarnos. La señora Meyer debió convocar una junta de vecinos porque a partir de entonces alguien tocaba a la puerta todas las tardes para insistir en el tema, hasta que dejamos de abrirles.

Un sábado, mi padre llegó a la casa con un par de tumbonas y un comedor de jardín que acomodó cerca de la araucaria. La semana siguiente invitó a una pareja de amigos. Mi hermano sacó el brasero y ayudó a papá a asar la carne, en el mismo lugar donde semanas atrás yo había enterrado a los insectos. Cuando vi las mollejas y los hígados de pollo cociéndose en el anafre, me fue imposible no pensar en ellos. Incluso mi madre aceptó bajar unos minutos y unirse a los invitados. Ese día mi familia inauguró la costumbre de comer en el jardín los fines de semana. Mi padre cocinaba mientras Laura iba y venía con bandejas de botanas que yo ayudaba a preparar en la cocina. Una y otra vez brindábamos por la larga vida del árbol, entregados a una suerte de ritual de longevidad que asombraba a nuestras visitas. Todos hacíamos nuestro mejor esfuerzo, y estoy segura de que más de un invitado salió de ahí pensando que éramos una familia unida. Sólo de cuando en cuando alguno se aventuraba a preguntar si no era peligroso vivir junto a un tronco tan seco. Cada vez que esto ocurría, los nombres de esas personas entraban de inmediato en nuestra lista negra. También entre nosotros estaba prohibido hablar mal de la araucaria. Vigilábamos la cantidad de hojas verdes sobre sus ramas, como si fueran los signos vitales de un enfermo terminal de quien se espera una remisión milagrosa. Muy rara vez brotaban hojas nuevas. Era mucho mayor la cantidad de hojarasca. Cada noche me quedaba dormida con la mirada fija en la ventana. En mi cabeza, la voz de la señora Meyer repetía una y otra vez su diagnóstico de podredumbre.

En cuanto llegó el otoño dejamos de brindar bajo la araucaria. La resina disminuyó con el frío, pero ahora la madera crujía cada vez que soplaba el viento o bajaba la temperatura, y aquellos quejidos se nos metían en el alma. Fue a partir de entonces que empezamos a evitar aproximarnos a ella y a alejarnos de la parte de la casa amenazada por la inclinación del tronco. Sin ponernos de acuerdo, establecimos rutas alternativas para desplazarnos, rutas que respondían a nuestras propias e inconfesadas predicciones de dónde podría caer el árbol el día en que finalmente se viniera abajo. Una noche Sergio sacó la computadora del estudio y se la llevó a su cuarto. Nadie se lo reprochó. Otro día, mi madre empacó la vajilla de fiesta que durante años había guardado en el cuarto de los triques y la metió en un rincón de la alacena. Yo misma cambié mi cama a la habitación de Laura y ella me cedió sin chistar dos cajones de su clóset para que colocara ahí mis objetos importantes. Ya casi nadie salía al jardín, donde el frío se había apoderado del territorio. Por eso me sorprendí tanto la noche en que me encontré a Sergio acostado en una de las tumbonas abandonadas junto a la araucaria. La luz de la luna le daba a su chamarra de gamuza gris un aspecto peligroso y atractivo, como el pellejo de un joven licántropo. Mi hermano hizo señas para que me acercara. Me instalé a su lado. Sergio pasó el brazo por encima de mis hombros y me preguntó si me sentía triste por el árbol. Asentí con la cabeza.

–Yo también –me dijo–. Pero estoy contento de que te hayas bajado de ahí. Antes nunca te veía. La araucaria no te quería soltar.

Su comentario me puso aún más triste. Esa noche mi hermano me contó que los árboles tan altos como el nuestro tardan años en echar brotes sobre la tierra. Antes de hacerlo, se aseguran de que sus raíces sean profundas y lo suficientemente fuertes como para sostenerlos.

–*Las raíces* –enfatizó con tono serio–, esa parte oculta bajo el suelo en la que nadie piensa y que nadie quiere ver, es la que nos sostiene a todos.

Le pregunté si él sabía qué había pasado con la araucaria. Sergio se tomó un momento antes de contestar. Me dijo que muy probablemente era un hongo, un parásito invisible que entraba desde la tierra y envenenaba nuestro árbol a una velocidad inaudita. Me contó que años atrás un parásito así había acabado con todo un bosque en Nueva Zelanda.

–No creo que sea posible curarlo. Está seco por dentro. Pero no te equivoques, el árbol no ha muerto del todo.

Debió de ver mi expresión de escepticismo porque de inmediato volvió a hablar de aquella red infinita que se extiende bajo el suelo de todo el continente y de la cual nuestro árbol formaba parte.

–Las raíces se conectan allí donde no podemos verlas. Un árbol no es sólo un árbol, también es su especie. Además, están las semillas que lanzó a diestra y siniestra durante tantos años, y que ahora se están reproduciendo.

Mientras mi hermano hablaba, me fui quedando dormida. Después supe que fueron pocos minutos, pero a mí me bastaron para tener un largo sueño acerca de lo que había escuchado: las raíces de la araucaria se extendían por los pasillos y los cuartos de la casa, los cuerpos de todos los miembros de mi familia, incluidos los de mis abuelos. Entraban por las plantas de mis pies y subían por mis piernas y mi torso para volver a salir por mis ojos y mi boca. Constituían un intrincado laberinto, invisible pero real, una suerte de bosque subterráneo que nos unía a todos.

Me despertó el ruido de las hojas sacudidas por el viento. Estaba haciendo mucho frío y el aire soplaba con una fuerza inusual. Sentí sobre mi espalda la chaqueta de gamuza de mi hermano. Sergio y yo nos levantamos de la tumbona con los brazos y las piernas entumidas, y nos instalamos en la sala donde Laura había encendido la chimenea. Esa noche hubo una tormenta de viento que duró más de diez horas. Encerrados en su habitación, mis padres discutían. De cuando en cuando se escuchaba el ruido de un objeto arrojado contra la pared o de una patada contra la puerta del clóset. Esta vez, sin embargo, la pelea fue opacada por el estruendo del huracán. Las noticias, que mis hermanos y yo seguíamos en directo por el celular de Sergio, iban dando cuenta de los estragos ocurridos en los distintos barrios de la ciudad. Al llegar la noche se contaban más de treinta árboles derribados. Dos postes de luz se cayeron a unos metros de nosotros, en la avenida Miguel Ángel de Quevedo. Durante todo ese tiempo vimos resistir a nuestra araucaria, mostrando una dignidad en la que yo nunca antes había reparado. Por la mañana, el cielo se veía completamente limpio. Apenas abrí los ojos, salí corriendo al jardín para constatar el estado de las cosas. Me encontré a mi padre sentado sobre los escalones de la puerta, la cabeza entre las rodillas. Sus ojos estaban inyectados de sangre y su expresión muy seria. ¿Había pasado la noche ahí, esperando el derrumbe de la araucaria? No pude ni decirle buenos días. Fue él quien interrumpió el silencio.

–Siempre sentí que era ese árbol el que sostenía a nuestra familia. Ahora que está así, tengo miedo de lo que pasará con nosotros –dijo mientras me lanzaba una mirada triste e interrogante.

Ahora de nuestro árbol sólo queda un pedazo de tronco hueco en el centro del jardín. A lo largo de los meses fue perdiendo sus hojas y sus ramas, pero jamás se desplomó, como vaticinaban los vecinos. El año pasado Laura entró a una escuela de diseño en Italia y se fue a vivir allá con su novio. Sergio dejó la preparatoria para estudiar jardinería. Sigue obsesionado con las araucarias y dice que alguna vez irá a conocer las de Chile y Nueva Zelanda. Está ahorrando para ello. Hay veces en que yo también quisiera irme lejos, escapar de la casa, de mis padres y del tronco vacío, pero ni siquiera lo intento. Estoy segura de que, por más que me esforzara, sería imposible. Las raíces que me atan a esta casa son cada vez más fuertes y expansivas, y aunque yo no pueda verlas las siento ceñirse dentro de mí.

LA VIDA EN OTRO LUGAR

Sucedió hace un par de años, en esa época en la que mi mujer y yo alquilamos el piso. Habíamos recurrido a una agencia que nos recomendó un amigo y que cobraba comisiones muy razonables. Después de visitar edificios en todos los barrios de Barcelona, seleccionamos dos: uno en la avenida Mistral, cerca de plaza España, y otro en la calle Carolines, en el corazón de Gràcia. El de Mistral era un espacio soleado, con una pequeña galería que Anna imaginó inmediatamente llena de plantas, como un jardín interior. La arquitectura no era especialmente bonita. Se trataba de uno de esos edificios de los años setenta, cuadrados y sin demasiado encanto, que abundan en esa zona, pero que a ella le parecen amplios y por lo tanto atractivos. El piso de Gràcia, en cambio, estaba en un principal, en la acera izquierda de la calle Carolines, viniendo del metro Fontana. El edificio era antiguo y tenía buenos acabados. El ascensor de madera que hacía juego con la puerta modernista, las columnas y los arcos dentro del apartamento le daban cierta distinción. En pocas palabras, era un piso con mucho estilo, un lugar en el que se podían organizar cenas agradables, una casa de la cual enorgullecerse. Por desgracia, en ese sitio, el sol entraba a duras penas y por la parte de delante. La luz del patio interior debía de iluminar los apartamentos de arriba, pero no conseguía llegar hasta aquella planta. Ésa fue la razón por la que no lo elegimos de inmediato. En sus ratos libres, Anna trabajaba como ilustradora de cuentos para niños y prefería un lugar luminoso. Durante el fin de semana le estuve dando vueltas al asunto y me decidí por el piso de Gràcia. ¿Qué importaba la falta de sol si siempre invitábamos a la gente por las noches? Además, Anna no dibujaba tan seguido como para que esa actividad secundaria nos limitara. Cuando lo hiciera, podría utilizar una lámpara de diseñador que imita perfectamente la luz del día. Le prometí que yo mismo me iba a encargar de instalarla.

El lunes por la mañana llamamos a la agencia para comunicarle que habíamos elegido el piso de Carolines, pero el empleado nos respondió que ya no estaba disponible.

—Digamos que está muy comprometido. Lo ha reservado una pareja joven con dos niños.

–Nosotros ya tenemos el expediente completo –argumenté inútilmente–. ¿Por qué no nos lo alquila de una vez?

Pero el encargado dijo que no era posible. El matrimonio había pagado ya la reserva y eso significaba atentar contra la política de la agencia.

–Si hay algún cambio o tardan más de la cuenta en traer los papeles, les aviso de inmediato –prometió antes de colgar.

Esa misma tarde Anna pasó por la agencia para pagar la reserva de la avenida Mistral. Yo, en cambio, seguí imaginando mi vida en Gràcia: los paseos que daría por el barrio, las sesiones del cine Verdi, los cafés en las terrazas, el viejo Teatre Lliure. Estaba seguro de que vivir cerca del teatro me ayudaría a regresar a él. Antes de que pasara un año, estaría trabajando en alguna obra. Y así, mientras pensaba en el porvenir que deseaba tener, el piso de Gràcia se fue volviendo a mis ojos más y más indispensable. El jueves, sin embargo, la agencia me llamó para confirmar que ya estaba alquilado. De modo que no hubo más remedio que mudarnos al de plaza España.

Durante el mes de julio, Anna y yo nos dedicamos a renovar nuestra casa. Pintamos las paredes y el techo, arreglamos los armarios y pusimos las plantas que ella había imaginado. Al terminar decidimos tomarnos unos días en el pueblo de mis padres. Cuando volvimos del campo, el olor a pintura ya había desaparecido. Sin embargo, desde la primera noche tuve la impresión de que el lugar seguía siendo inhabitable. No tenía ninguna razón para pensarlo, así que preferí no decirle nada a Anna. Ella, en cambio, estaba feliz con los resultados de sus reformas y los colores que habíamos puesto en la sala.

En el otoño establecí una nueva estrategia para volver a actuar. Ésta consistía en frecuentar a los jóvenes que probablemente aún sentían algún respeto por los actores de mi generación. De modo que organicé varias cenas para conocer a un par de directores. Llevaba más de dos años trabajando en una consejería de la Generalitat y tres sin pisar un escenario. Según Anna, debía darle gracias al cielo por ese empleo de mierda y dejar el teatro para los ratos libres, como hacía ella con la pintura. Los invitados a las cenas nos felicitaban por el piso, pero nunca me ofrecían trabajo en ninguna obra, ni siquiera como ayudante de escenografía. Se acercaba el invierno y la situación era más o menos la misma. Conforme pasaba el tiempo, me iba invadiendo una sensación indefinible, demasiado serena para llamarla ansiedad, pero lo suficientemente desagradable como para pasar inadvertida. Tenía la sospecha de que se estaba fraguando algo muy cerca de mí, algo que no alcanzaba a ver pero que me concernía por completo. Empecé a caminar por las tardes para tranquilizarme. Después del trabajo vagaba por la ciudad sin ningún rumbo establecido. Mis paseos terminaban muchas veces convirtiéndose en giros gravitacionales alrededor de un teatro. El Romea, si estaba en el Raval, o el Lliure de Montjuïc, más cerca de casa. Muchas veces ni siquiera me acercaba hasta la puerta para ver la cartelera, sino que permanecía en las calles aledañas esperando la salida de la gente que, después de la función, se precipitaba hacia los bares y los restaurantes del barrio. Me bastaba con respirar la intensidad que inunda a los espectadores tras una buena representación, esa intensidad que yo mismo había sentido tantas veces y que, en la adolescencia, me había llevado a creer que había nacido para actuar.

Fue uno de esos paseos el que me acercó de nuevo a la calle Carolines. Desde que habíamos terminado las reformas en el piso de Mistral pensaba mucho menos en el otro apartamento. Ahora el piso de Gràcia formaba parte de esa lista interminable de cosas deseadas que nunca habían ocurrido y a las que creía haberme resignado. Sin embargo, una vez cerca del metro Fontana me fue imposible no asomarme al edificio. La calle estaba bastante oscura. Desde la esquina distinguí las ventanas encendidas en el principal. Al acercarme un poco escuché el eco de una música. Advertí que había una lámpara de pie justo en el sitio donde yo había planeado poner una, y también me pareció ver un par de macetas. Permanecí ahí durante algunos minutos, imaginando que aquellas siluetas que distinguía en la ventana eran la mía y las de mi familia. No la mía y la de Anna, sino las de una familia distinta, una esposa y unos hijos que no conocía pero que me inspiraban un cariño profundo y a la vez insoportablemente triste, como el que inspiran los seres queridos que hemos dejado de ver.

Cuando llegué a casa, Anna había hecho la cena y me esperaba leyendo en el comedor. Fui a lavarme las manos y, al mirar el espejo, sentí que un individuo distinto se había apoderado de mi rostro. Pensé en la otra casa durante toda la noche. No abandonaba la idea de que ese piso era el más adecuado a mis gustos y a mi manera de ser, de la misma forma en que el de Mistral le correspondía más a Anna. Me dije, para consolarme, que un apartamento era en cierta medida similar a un hijo en quien se mezclan los genes de dos familias. En nuestro caso, habían triunfado los gustos de mi mujer, quizás me tocaría a mí en la siguiente mudanza.

Aquel viernes, al salir de la oficina, me dirigí

de nuevo al edificio. En esos días oscurecía temprano, así que ya era de noche cuando bajé en el metro Fontana. Esta vez, sin embargo, no había luz en el apartamento. Casi todas las ventanas de la finca estaban cerradas. «Es normal», pensé, «a esta hora, nadie está en su casa.» De modo que decidí sentarme en el café que había en la acera de enfrente. Elegí una mesa cercana a la calle y pedí un descafeinado con leche. El sitio tenía todo el estilo de los garitos de Gràcia, bohemio y afrancesado, con luces bajas y algunos afiches colgados en la pared. En uno de ellos reconocí la cartelera del Lliure de Gràcia. Estaban dando otra vez *Ubú President*, con el personaje de Alfred Jarry trasladado al contexto político de Cataluña. La temporada se alargaba hasta el final del invierno. Aunque me habían hablado bien de la obra en varias ocasiones, había preferido no ir. Xavi Mestre, el actor principal, un muchacho moreno y musculoso, había sido compañero mío en la escuela de arte dramático. Después de la carrera, Xavi había viajado a Italia y luego a Dinamarca para formarse con Eugenio Barba. Al volver, el teatro catalán lo acogió como a un mesías y le dieron los papeles que hasta entonces nadie de nuestra generación había logrado obtener. Mientras bebía lentamente mi café, alternaba la mirada entre el cartel del teatro y la puerta del

111

edificio. Dos lugares a los que no tenía acceso más que como espectador.

En ésas estaba cuando vi que una mujer se detenía frente a la finca. Debía de tener poco más de treinta años. Era delgada y rubia, llevaba el pelo recogido de una manera casual pero elegante. Un cochecito de bebé y un niño pequeño esperaron a que abriera la puerta. El rostro que observé durante un par de segundos me pareció hermoso. Pocos minutos después, la luz se encendió en el principal. La silueta del niño apareció en la ventana y, más al fondo, la mujer con el bebé en los brazos. La atmósfera cálida del apartamento se derramaba hasta el café de la esquina. Seguí observando unos minutos, luego pagué la cuenta y regresé a mi casa. Esta vez, Anna ya había cenado y me recibió en la cama frente al televisor.

El lunes nos levantamos juntos como era habitual. Desayunamos con calma y salimos de casa en direcciones opuestas. Pero en vez de tomar el metro hacia mi trabajo, recorrí la línea verde como un zombi hasta llegar a Fontana. Tuve que esperar una hora en el café antes de ver salir a la inquilina del principal. Por el atuendo del crío, me pareció que iba a llevarlo al colegio. Dejé unas monedas sobre la mesa y me dispuse a seguirla.

Esa semana pedí la baja en la oficina pretextando una gripe y durante cinco días consecutivos me dediqué a perseguir a la mujer por las calles de Gràcia. Tres días fueron suficientes para conocer sus hábitos y sus horarios: después de dejar al niño, volvía a casa y alimentaba al bebé en el sillón de la sala hasta las diez. Más tarde, iba con el cochecito hasta la plaza de la Virreina donde se sentaba a leer en un café hasta la hora de la comida. Después recogía al hijo que iba al colegio y regresaba a casa. Casi nunca salía por la tarde.

El resto de mi tiempo —es decir, las horas que no dedicaba a mi labor de espionaje— me parecía intrascendente. Mi propia vida era comparable a los anuncios televisivos que interrumpen una película apasionante. No podía hacer nada al respecto, excepto soportarlo con paciencia. Anna empezó a hacer comentarios irónicos, decía que últimamente estaba en otra parte. Pero yo le hablaba siempre de mi conflicto profesional.

La mañana del jueves, cuando salí de casa para subir al metro, un camión de la basura estuvo a punto de arrollarme, y eso que nunca van de prisa. Me dije que mi mujer tenía razón: debía dejarme de tonterías y concentrarme en el trabajo, pero eso no me convencía del todo, como tampoco me convencía vivir en una calle de burócratas e inmigrantes, llena de excrementos de perro, ni que hubiera grafitis en los muros del metro. No me convencía el acento tan barcelonés que tenían mis compañeros de trabajo, ni el sabor del cortado en el bar de la esquina. Nuestro barrio no estaba mal, el edificio no estaba mal, el piso tampoco, pero por más que mirara a mi alrededor no encontraba nada que estuviera bien. La vida me parecía injusta en todos los aspectos. Siendo actor de profesión, podía fingir el mismo conformismo que expresaban mis vecinos, pero seguía preguntándome en qué año o en qué kilómetro había salido de la autopista que conducía al destino que, según yo, me correspondía o, por el contrario, en qué esquina debía haber doblado para no salir a esa calle llena de coches, esa avenida veloz hacia los parques frustrados de la cuarentena. Mi intuición me decía que algo bueno me esperaba en el apartamento que no habíamos alquilado. Algo inusual y refrescante como un nuevo comienzo tras varios años de infelicidad.

Conforme pasaron los días, dejé de resignarme al papel de testigo y la discreción empezó a volverse insoportable. Quería hablar con la mujer, ganarme su confianza y lograr que me invitara a su casa. No podía seguir esperando, y la mañana del jueves me decidí a interceptarla en el café de la Virreina.

114

Era una de esas mañanas soleadas de invierno en las que no hace demasiado frío y resulta agradable instalarse en una terraza. Ella se quitó el abrigo y pidió un café. Sentado a un par de mesas de ahí, sentía cómo las pulsaciones de mi corazón se iban acelerando. Sin embargo, solté la pregunta a bocajarro, con naturalidad:

—Tú estabas en Institut del Teatre, ¿verdad?

La inquilina levantó la mirada. Sus ojos azules se clavaron en mí durante unos segundos.

—Yo no —contestó la mujer con un acento extranjero que no supe reconocer—. Pero mi marido sí que estuvo en esa escuela.

Conversamos durante algunos minutos. Me contó que era danesa y que había estudiado escenografía en Copenhague hasta que decidió mudarse a Barcelona para casarse con un hombre que era actor. Antes de que pronunciara el apellido de su esposo, comprendí que estaba hablando con la mujer de Mestre.

—No me digas que estás casada con Xavi —dije con admiración fingida.

Aparenté un interés genuino por la carrera de mi excompañero; recordé en voz alta las tres anécdotas escolares en las que había coincidido con él, amplificando descaradamente la importancia de nuestra relación. Ella parecía encantada y me escuchó atentamente mientras se lo permitieron sus obligaciones maternales, es decir, antes de salir disparada hacia el colegio de su hijo.

–Es tan raro encontrar a gente de esa época. Los compañeros de Xavi casi nunca vienen a sus representaciones. Deberíamos vernos otro día –dijo mientras se levantaba. Me dejó una tarjeta con su nombre, su dirección en la calle Carolines y un número de teléfono. Se llamaba Josephina y usaba su apellido de casada.

Volví a casa y metí la tarjeta en un cajón. No tenía la menor intención de llamarla y tampoco de volver a pasear por los lugares que ella frecuentaba. Sin embargo, las cosas no terminaron ahí. Tres semanas después, Anna me telefoneó para decirme que Xavi Mestre había llamado esa tarde.

–¡Quiere que vayamos a cenar a su casa! –me anunció con incredulidad, como si en vez de eso me hubieran nominado a un Oscar.

–¿Y qué le dijiste? –pregunté temeroso.

–Le dije que el viernes nos venía perfecto. ¿Y a que no sabes en qué calle viven?

–Sí lo sé. –Respondí–. Fueron ellos los que consiguieron el piso –dije, para ver si Anna me hacía el favor de odiarlos un poco. Olvidaba que ella siempre había preferido nuestro apartamento.

Aunque nunca habíamos sido amigos, Xavi se comportó como si realmente le diera gusto volver a verme. La cena fue una delicia y el piso estaba mucho más bonito que algunos meses atrás, cuando nos lo había enseñado la agencia. Encontré a Xavi muy cambiado, envejecido y escueto, más parecido al rey Ubú que al chico que había conocido veinte años atrás. Me pregunté si estaba enfermo o si su aspecto era consecuencia de una temporada tan larga. Sin embargo, en vez de darle un aspecto lastimoso, esa vejez prematura acentuaba su aire de superioridad. Durante la cena me aseguró que los compañeros del Institut del Teatre no habían querido saber nada de él desde que volvió. Pero a pesar del vacío que le había hecho el gremio, los directores nunca pusieron en duda su talento.

–Es normal que todos esos actorzuelos te detesten –dije para complacerlo–. Te deben de tener unos celos… –Y en el acto me gané su simpatía.

Durante la cena me levanté dos veces para ir al baño. Así fue como pude inspeccionar las otras habitaciones, tan espectacularmente decoradas como la sala. En el pasillo había fotos enmarcadas de Xavi en el escenario y también una placa conmemorativa. Todos los muebles y los objetos me parecían familiares y por eso tenía una sensación de pertenencia difícil de soportar. Esa casa era casi mía, pero por una razón incomprensible no podía vivir ahí.

Casi al final de la noche, Mestre me preguntó por qué había dejado de actuar. Iba a decirle lo que siempre contesto, es decir, que prefiero tener una vida estable y segura con un piso bonito donde podrán vivir los hijos que tendré con Anna, pero no me atreví. Me encogí de hombros y para mi propia sorpresa respondí que no soportaba el medio artístico, tan resentido, tan cizañoso, tan maledicente, y que por eso había preferido alejarme. Él me aseguró que lo comprendía muy bien.

Fue una velada extraña. Hablamos mucho de la escuela, de nuestros sueños de antes, del camino que cada uno había elegido. Xavi me describió la obra y sus relaciones con el teatro catalán, que no eran tan buenas como yo había imaginado. Me sorprendió que se sincerara conmigo de esa forma. En su voz noté cierta amargura que entonces no supe descifrar.

Charlamos y bebimos hasta la madrugada. Prometimos seguir en contacto e invitarlos a cenar la próxima vez. No recuerdo exactamente cómo volvimos a casa. Cuando me desperté, mi adolorida cabeza era un pantano putrefacto. Anna me miraba fijamente. Pocas horas después, me reprochó mi interés por la mujer de Mestre. Me pidió que no volviera a verla. Aun así, llamé esa misma tarde para agradecerles la cena. Josephina, quien me atendió el teléfono, me explicó que Xavi estaba enfermo y se negó a ponerme con él.

—En general lo lleva bien —había dicho ella—. Pero hoy no ha podido ni levantarse de la cama.

Su voz me dejó preocupado. En esos días no pude quitarme a Josephina de la cabeza. No lograba distinguir si lo que me atraía de ella eran su personalidad y su boca, o si mi fascinación se debía a que era la esposa de Xavi Mestre. Un hombre a quien le envidiaba absolutamente todo, incluida su relación conflictiva con el teatro catalán.

Aquél fue el diciembre más frío del que tengo memoria. La humedad se nos metía en los huesos y Anna seguía enfadada. Volví varias veces al piso de Carolines, pero sin ella. Recuerdo esas visitas a Xavi Mestre como lo único interesante que hice aquel invierno. Bebíamos orujo y jugábamos al ajedrez en su estudio, donde la luz del sol no entraba casi nunca. Durante las partidas, él se distraía recordando nuestro pasado común en la escuela de teatro. Yo no podía creer que, después de semejante éxito, sintiera nostalgia por esa época tan miserable.

Una tarde, entre copa y copa, me anunció que no iba a terminar la temporada de *Ubú*. Cuando le pregunté la razón, me mostró unas hojas con el logo de la clínica CIMA.

—El doctor insiste en que necesito reposo absoluto, y por ese motivo le he pedido a Rigola que suspenda la temporada, pero en vez de eso el muy cretino encontró un actor que va a remplazarme. ¿Puedes creerlo?

El niño se puso a gritar en la habitación contigua. Cuando le pregunté qué pensaba hacer al respecto, respondió:

—Algo se me ocurrirá.

Bajé las escaleras sorprendido por su respuesta. Enfermo como estaba, el hombre desbordaba confianza en sí mismo. Al salir del edificio me encontré con Josephina. Me esperaba en el mismo café desde donde yo había espiado tantas veces su apartamento. Tenía los ojos hinchados.

Me senté con ella en una mesa del fondo. Hablaba en voz baja, como si temiese que los otros clientes escucharan lo que iba a decir. Me explicó la gravedad de los últimos resultados. Según ella, la enfermedad de Xavi era la consecuencia de varios años de trabajo sin descanso, pero él era un terco además de un egoísta. También habló con amargura del director que quería echarlo a la calle como a un perro. Yo intenté calmarla: pedirle a Rigola que suspendiera la temporada porque Xavi estaba enfermo era pedirle que se suicidara.

—Además, piensa en los otros actores. También ellos saldrían perjudicados.

Mientras le decía todo esto, la cogí cariñosamente de la mano. Pero ni mis palabras ni mis gestos de apoyo lograron que se sintiera más tranquila.

A partir de ese momento, aumenté la frecuencia de mis visitas. Iba tres o cuatro veces durante la semana, excepto los sábados y los domingos. Ni siquiera me tomaba la molestia de pasar por casa. Al salir de mi trabajo cogía el 22 y me detenía unas calles antes para ir al supermercado. Si algo puedo decir en mi favor, es que siempre llegaba con algo de comer. Cada tarde me ofrecía a poner la mesa, cambiaba al bebé o jugaba con el niño. No me costó acostumbrarme a la casa, pues, como he dicho antes, siempre me resultó familiar. Al entrar dejaba mi abrigo en el perchero y el portafolios en el vestíbulo, después iba directo a la cocina para guardar las cosas que había comprado. Poco a poco me fui convirtiendo en un miembro más de la familia. Conocía muy bien el lugar de cada plato en la cocina, sabía poner la mesa y hasta cambiar la ropa de cama si era necesario. En el baño, donde me gustaba sentarme largo rato, encontraba siempre mis dos revistas favoritas.

Tal y como lo había anunciado, Xavi siguió trabajando: en cuanto dejó la obra, empezó a escribir una novela. Según Josephina, estaba corrigiendo un manuscrito guardado durante más de cinco años, una parodia del ambiente artístico

121

español, en particular el de Cataluña. Verlo trabajar era humillante. Estoy seguro de que su disciplina y su concentración habrían hecho sentir mal a cualquiera, no sólo a una rémora como yo. A la hora de la cena, Josephina tocaba varias veces a la puerta del estudio para ver si Xavi quería acompañarnos o si prefería que le lleváramos la cena a su escritorio. Cuando aceptaba comer con nosotros era siempre él quien ponía el buen humor en la mesa. Escogía algún disco, encendía una vela. Los niños ya estaban durmiendo a esas horas y nos sentábamos solos a disfrutar de una buena sopa caliente. A diferencia de mí, él comía cada vez menos. A veces estaba tan cansado que le costaba trabajo sostener los cubiertos. Aun así consiguió terminar la novela.

Poco tiempo después, Xavi ingresó en el hospital de Sant Pau. Josephina lo acompañaba la mayor parte del tiempo y, por supuesto, las tareas en casa se multiplicaron. Traté de ayudarla en todo lo posible, atendía las llamadas de teléfono y aprovechaba para borrar del contestador los mensajes chantajistas de Anna, quien para entonces ya había adquirido la costumbre de insultarme. Pero yo no tenía tiempo para sus ataques de celos, debía ocuparme de bañar a los niños, de prepararles la cena y de acostarlos. Así fue como empecé a quedarme ahí por las noches. Primero en el sofá, luego con los niños, que siempre tenían miedo, y cuando Josephina se quedaba en el hospital, también dormía en la cama conyugal.

Xavi murió antes de que terminara el invierno. Lo velamos en Les Corts. Fue un funeral triste, con más periodistas que amigos. Estuve ahí toda la mañana. Mi mujer no apareció y preferí no insistirle para que lo hiciera. Por la tarde Josephina y yo coincidimos en el café del velatorio. Nos sentamos a una de las mesas. Se estaba bien ahí. Hacía menos frío y el vaho en las ventanas impedía ver el jardín. Recuerdo que llevaba una chalina gris de cachemira. Cuando busqué su mano, me di cuenta de que ya no la deseaba. Estoy seguro de que no tenían nada que ver ni su dolor ni las circunstancias dramáticas. Le pregunté por los niños y me contó que su madre se los había llevado a Dinamarca esa misma mañana. Me dio las gracias por haber estado tan cerca en los últimos días.

–Le demostraste a Xavi que no todos los actores son tan infames como él pensaba.

Me limité a sonreír modestamente.

Cuando nos despedimos, Josephina me anunció que pensaba regresar a Copenhague y me preguntó si me interesaba alquilar su apartamento. Le pedí que me diera unos días para pensarlo.

LOS DIVAGANTES

La infancia no acaba de una vez, como nosotros queríamos cuando éramos niños. Sigue ahí,
agazapada y silenciosa en nuestros cuerpos ma-
duros y luego marchitos, hasta que un buen día,
después de muchos años, cuando creemos que la
carga de amargura y desesperanza que llevamos a
cuestas nos ha convertido irremediablemente en
adultos, reaparece con la velocidad y la fuerza de
un relámpago, hiriéndonos con su frescura, con
su inocencia, con su dosis infalible de ingenui-
dad, pero sobre todo con la certeza de que éste sí
fue, de verdad, el último atisbo que tuvimos de
ella. Cuando éramos niños ocurría exactamente
lo contrario: soñábamos con la autonomía y con
la libertad para hacer lo que quisiéramos, dispo-
ner de nuestro tiempo, elegir nuestra comida,
desplazarnos a nuestro antojo. La niñez nos parecía una interminable sala de espera, una etapa

125

transitoria entre el nacimiento y la vida que deseábamos tener. Los niños realizan sus sueños pocas veces, no tienen las herramientas, dependen de sus padres, y ni los padres de Camilo ni los míos se preocupaban mucho por cumplir nuestros deseos. Estaban absortos y embriagados con sus propias existencias, intentando reparar los desastres que constantemente dejaban tras de sí en su atolondrada carrera hacia vete a saber dónde. Entonces era una suerte tener un amigo tan cerca. Tocaba su puerta y sólo con verme se daba cuenta de que en casa algo andaba mal con mis padres y que debíamos buscar un refugio donde estar tranquilos el resto de la tarde, un lugar donde nadie pudiera pedirnos que regresáramos. Por fortuna había muchos jardines alrededor, decenas de arbustos tras los cuales esconderse.

Los Palleiro llegaron a México a mitad de los años setenta, poco después de que Camilo y yo cumpliéramos cinco años. Venían exiliados de Uruguay, donde la junta militar había extendido una orden de arresto a los comunistas. Se instalaron en el edificio donde yo vivía, pero en el cuarto piso, es decir, justo abajo de nuestro departamento. En ese tiempo llegaron muchos otros niños exiliados a la Villa Olímpica, a veces acompañados de sus padres, otras de sus tíos o de sus abuelos. No todas las familias lograban emigrar al mismo tiempo y no todas pudieron salvarse enteras. Los que habían conseguido empacar una mudanza tenían que esperar meses antes de poder ir al puerto en donde había desembarcado su menaje de casa. Pero fueron pocos los que tuvieron ese privilegio. Por eso, la mayoría de las veces su mobiliario era escaso, minimalista, humilde: lámparas de papel, muebles de mimbre o de madera rústica, cosas recogidas de aquí y de allá. Todo lo que pudiera servir para construir ese nido precario.

Los edificios del barrio en el que vivíamos eran más de veinte y estaban separados por senderos boscosos y rampas de piedra perfectas para andar en bicicleta. Todas las tardes, al volver de la escuela, los niños salíamos en desbandada con un estruendo semejante al que se produce durante los recreos y en los parques de diversiones. Gritábamos con diferentes acentos, los de México, Chile y Argentina, principalmente. El uruguayo era el menos común y, quizás por eso, a mí me parecía el más bonito. Al atardecer, las madres salían a buscarnos o hacían señas desde las ventanas para que regresáramos. Todos volvíamos a casa y entonces, sobre los jardines, se hacía un silencio tan oscuro como la noche.

Camilo y yo comenzamos a jugar en un tiempo más lejano del que alcanza mi memoria. Mis primeros recuerdos junto a él datan de cuando teníamos alrededor de seis años. Nos veo persiguiendo a una ardilla en la entrada del estacionamiento, en medio de largas risotadas. Que dos niños vecinos se vuelvan amigos y jueguen todos los días puede sonar predecible, pero no lo era tanto en nuestro caso. Al llegar a la ciudad, sus padres lo inscribieron en un colegio al que asistían principalmente los hijos de los obreros afiliados al partido, pero era demasiado flaco, demasiado alto, demasiado torpe y demasiado culto para pasar inadvertido (la mayor suerte que uno puede correr durante la primaria). Además, usaba lentes y hablaba raro. Habría sido muy feliz si sus compañeros hubieran mostrado su desagrado marginándolo en vez de golpearlo todos los días. Pero yo no podía nada contra esto, así como él tampoco habría podido evitar que, en mi escuela, una escuela privada y Montessori, yo fuera objeto de acoso por mi timidez extrema. Compartíamos la suerte, buena y mala a la vez, de tener padres progres y ausentes. Compartíamos también la urgencia de crecer, de hacer una vida propia que imaginábamos libre de las angustias familiares. Dos futuros muy distintos entre sí, pues, mientras yo soñaba con pilotear aviones, escalar montañas y viajar en dirigible, él hablaba únicamente de volver al Uruguay. Me pregunto si esa obsesión venía de sus padres, ya que hasta donde recuerdo en su casa, donde pasaba tanto tiempo como él en la mía, nunca se hablaba de eso.

Los jardines, como los edificios, tenían sus propios inquilinos. Familias enteras de caracoles, aves y gatos callejeros habitaban los setos y las ramas de los árboles. Los pájaros eran por mucho mis favoritos. No me interesaba cazarlos con la resortera como hacían los demás, sino sentarme a observarlos. Me gustaba que sus cantos, sus colores, su tamaño y sus plumajes fueran tan diferentes entre sí, o que algunos fueran libres y otros vivieran en jaulas dentro de los departamentos, como esos niños cuyos padres nunca dejaban bajar a la plaza y mezclarse con los demás. Es verdad que la mayoría de las aves que había alrededor eran «palomas asquerosas», como decía Camilo, pero también había gorriones y primaveras de pico anaranjado. En las casas predominaban los canarios, los jilgueros y los loros domésticos. Siempre que estaba enferma y tenía la fortuna de no ir a la escuela, escuchaba a los pájaros desde mi habitación, asombrada por la magnitud de aquel barullo que por la tarde solíamos cubrir con nuestros gritos.

Mi padre adoptó muy pronto el interés por los pájaros y durante muchos años ése constituyó uno de los temas sobre los que siempre nos fue posible conversar. Papá y yo inventamos un juego que consistía en observar a los vecinos y encontrar el tipo de pájaro al que se parecían, ya fuera por su aspecto físico o por su comportamiento. La señora de la planta baja, la madre de Lalo, era claramente una lechuza con cinco crías en el nido; la del 305, una petirroja entaconada. Camilo lo aprendió de inmediato y se volvió incluso mejor que yo en identificar a las aves que se ocultan detrás de las personas.

A Ernesto Palleiro, el padre de Camilo –un flamingo no sólo por el color subido de su ideología–, le gustaba tocar la guitarra, beber vino y fumar cigarrillos sin filtro. Nosotros lo escuchábamos desde la habitación de su hijo, así como escuchábamos las riñas entre mis padres, apenas mitigadas por las paredes y el techo. Los ruidos viajaban también en el sentido inverso. Con mucha frecuencia me despertaba el llanto de Camilo a mitad de la noche, un llanto que habría reconocido a kilómetros de distancia, y al oírlo me entraba una rabia incontenible contra sus padres por no sacarlo de esa maldita escuela donde lo torturaban. Mientras recuperaba el sueño me decía que seguramente no era el único en sentirse así, y que en cada uno de esos edificios de exiliados por lo menos un niño lloraba todas las noches.

Poco antes de mi onceavo cumpleaños, mi padre terminó el doctorado en Biología y le ofrecieron un trabajo como investigador en la Universidad de Nueva Orleans. Así fue como de buenas a primeras, después de haber vivido siempre en un mismo hábitat, también nosotros empacamos nuestras cosas y migramos hacia el norte. Camilo y yo nos despedimos en la entrada del edificio, haciendo promesas de futuro, pero sabiendo en el fondo que muy probablemente nunca volveríamos a vernos.

La época que comenzó en ese momento fue muy inestable para mi familia e inauguró un periplo que nos llevó por diferentes ciudades estadounidenses y europeas. Mi padre aceptaba trabajos donde se los ofrecieran, casi siempre en universidades prestigiosas, pero por temporadas cortas. Mamá y yo lo íbamos siguiendo. En todas esas ciudades mis padres discutieron con un fervor idéntico. Sus enfrentamientos eran la única constante en nuestras distintas casas, y tiendo a pensar que en esas riñas escandalosas encontraban algún tipo de equilibrio: cuanto más peleaban, más unidos parecían.

En Nueva Orleans, el mar estaba cerca. Ahí había gaviotas en vez de palomas. Cuando tenía tiempo, papá me llevaba a ver pájaros, aves que vivían libres en el bosque o en las penínsulas del estado. Un fin de semana visitamos la reserva de Cat Island en el sureste de Luisiana, donde se asientan los pelícanos pardos. Viajamos primero en coche y luego en un bote de la universidad, con un equipo de biólogos –uno de ellos amigo de mi padre– y dos marineros. El ambiente a bordo era festivo y relajado. Los marineros se burlaban de los biólogos y los biólogos contaban chistes sobre marineros. El amigo de mi padre sacó una caña de pescar. Muy rápidamente picó un pez largo y rosado y fue a dar a una cubeta. La idea era obtener suficientes para todos y asarlos en cuanto llegáramos a tierra. Después del tercero o cuarto, la caña empezó a pandearse y hubo que sujetar a su dueño para que el peso no lo hiciera caer al agua. Primero pensamos que se trataba de un pez de gran tamaño, pero luego descubrimos, con absoluto horror, que el animal que tiraba del anzuelo era un ave gigantesca.

–¡Suelta la caña! –gritó uno de los marineros–. Tiene el pico enganchado.

Le pregunté a papá si se trataba de un pelícano, pero él me sacó del error: el animal que golpeaba la cubierta del barco con sus dos alas torpes e inmensas era un albatros.

Los marineros miraban con estupor al pájaro lastimado mientras uno de los biólogos intentaba abrirle el pico para sacarle el anzuelo. No

132

era fácil, el ave se debatía en medio de un aleteo furioso, intentando escapar. Sus graznidos delataban el miedo y la furia que sentía. ¿Qué hacía un albatros en un lugar tan alejado de su hábitat natural? El amigo de mi padre nos explicó que es muy raro verlos fuera de su rango geográfico, pero de cuando en cuando ocurre que alguno se ve arrastrado por una tormenta y se pierde. El problema, dijo, no es que haya salido de su territorio, sino que, cuando lo hace, le resulta muy difícil cruzar el ecuador y volver a él. Finalmente el biólogo consiguió sacar el pedazo de metal y, después de intentar varios pasos sin equilibrio sobre la cubierta, el albatros aleteó para alzar el vuelo. En cuanto estuvo en el aire, extendió sus alas y voló con majestuosidad sin alejarse del barco, permitiendo que lo contempláramos aún durante varios minutos. Alguien empezó a aplaudir y los demás nos unimos.

Al regresar a casa le escribí una carta a Camilo para contarle que al fin sabía qué ave era, pero me arrepentí antes de terminarla.

Al final de la secundaria, mi familia emigró al sur de Francia, y yo entré al Lycée Mignet de Avignon. Mis compañeros vivían un periodo de celo permanente. Absortos en sus distintas coreografías de cortejo, hacían todo lo posible para conseguir pareja, pero después, a mitad del año, la cambiaban por otra y luego por otra más. Fue en esa época cuando escribí la primera carta, una carta de tres hojas con letra pequeña y apretada en la que le contaba a Camilo los principales acontecimientos de los últimos tiempos, incluido el descubrimiento del albatros en Cat Island, pero también la soledad que sentía. Los libros fueron mis únicas amistades estables en esos años. Llegaba a casa a leer hasta que me vencía el sueño. Pensaba con frecuencia en Camilo. Me preguntaba cómo sería físicamente. Yo misma había cambiado mucho, era más alta y desgarbada, y mi nariz parecía no terminar nunca de crecer. Me pregunté si su cara se había llenado de granos como le ocurría a tantos chicos de mi escuela, si su voz era la misma o si se había transformado en un graznido irreconocible, pero ninguna de estas preguntas permaneció en la carta. La mandé sin saber si Camilo la recibiría. Después de todo, habían pasado cuatro años y era muy probable que sus padres hubieran cambiado de dirección. Un mes más tarde recibí una foto de su nueva patineta, sobre la cual había pintadas dos grandes alas bicolor. Atrás estaba escrito: «Un beso, Camilo».

Fue ese mismo año, en clase de literatura francesa, cuando me hicieron leer *Les fleurs du mal*, y fui a pedirlo a la biblioteca del liceo. Apenas me lo entregaron, abrí una página al azar y apareció ante mí el poema del albatros, «ce roi de l'azur maladroit et honteux», donde Baudelaire lo describe como el poeta maldito de la naturaleza. Se lo leí a mi padre esa misma noche. Él me leyó a su vez, y con mucho entusiasmo, el poema en el que Coleridge cuenta la historia de un marinero que queda maldito para siempre por matar a un albatros. El texto, oscuro como pocos he leído, me perturbó muchísimo. «Todos los hombres de mar conocen esa historia», dijo mi padre. Comprendí el horror del marinero de Luisiana al ver que su caña se había enganchado en el pico de aquel pájaro. Copié una estrofa a mano para mandársela a Camilo como respuesta a su fotografía. No tuve novio en todo ese tiempo. Me gustaba conocer bien a la gente antes de pensar siquiera en dar un beso y los chicos se desesperaban. Era demasiado torpe, demasiado lenta.

En diciembre del 83 terminó la dictadura en Argentina y entró Alfonsín al poder. La mitad de los habitantes de Villa Olímpica regresaron a casa. Lo supe por los vecinos que habían estado en contacto con mis padres durante todo ese tiempo e intentaban vender su coche o su departamento. La democracia volvió al Uruguay en el 85.

Nosotros seguíamos fuera de México. Le pedí a mi padre que escribiera a los Palleiro para saber cuáles eran sus planes, y antes de que respondieran recibí una carta desconsolada de Camilo. En ella insultaba a su familia por negarse a emprender el regreso.

Pocos años después hicimos un viaje a la Patagonia. Mi padre quería ver los glaciares y yo los albatros, esta vez en su hábitat natural. Visitamos las Malvinas, un lugar conocido por albergar una inmensa colonia de cejinegros. Encontramos las islas llenas de albatros adolescentes que acababan de volver a su lugar de origen. Habían nacido ahí cuatro o cinco años atrás y, apenas terminada la crianza, habían pasado esa misma cantidad de tiempo volando sobre el océano sin apenas tocar tierra. Pero el instinto, esa fuerza apenas comparable con el destino, obliga a los albatros a regresar y establecerse no sólo en su país, sino a pocos metros del lugar de su nacimiento. En esa isla encontramos un nido con un huevo abandonado. Nos explicaron que se trataba de una tragedia inusual: si un albatros abandona el hogar, sólo puede ser para salvar su vida. Al escuchar esta historia pensé en mis vecinos sudamericanos, que regresaron en cuanto les fue posible al país en el cual habían estado a punto de morir. No fue fácil. El trabajo escaseaba y la gente les tenía desconfianza, los veían como se mira volver a los desaparecidos.

Tengo recuerdos intensos y contradictorios de ese viaje a la Patagonia. En mi imaginación, el albatros era más bien un ave rara y solitaria, verlos convivir en sus colonias resultaba casi un oxímoron. Pero el mundo –lo sé por experiencia– está lleno de aves raras que ni siquiera sospechan que lo son. Por si fuera poco, todos esos albatros estaban concentrados en una sola cosa: aparearse. Y su actitud era igual de desconcertante que la de mis contemporáneos en las discotecas o en los patios del colegio. El cortejo de los albatros es quizás el más largo del reino animal. Pueden pasar dos años o más danzando alrededor de otros individuos, hasta encontrar a aquel con el que pueden sincronizar sus movimientos. Sólo que, a diferencia de mis compañeros de escuela, los albatros son monógamos además de longevos. Es normal que pongan tanto esmero en elegir una pareja.

Un año después de ese viaje, mi padre murió. Lo encontraron en el cuarto de un hotel en la ciudad de México víctima de un ataque cardiaco. Mamá y yo volvimos para velarlo y organizar su entierro en un cementerio desde cuyas colinas se puede ver el lago de Valle de Bravo. Recibimos muchas llamadas en esos días. Mi madre las contestaba todas, incluidas las de mis amigos, pues yo no estaba de ánimo para hablar con nadie. Una tarde mencionó que había llamado Camilo.

Si se piensa bien, es absurda la costumbre de visitar el lugar donde descansan los huesos de las personas que amamos, pero en esa vida errante que siempre tuvimos, mi familia fue mi único nido, mi única madriguera. Por eso visito su tumba cada vez que voy a México y, al hacerlo, procuro llevar un poco de miel para atraer a los colibríes. Mi padre decía con frecuencia que la gente sólo es reconocida en México cuando hace una carrera fuera del país. No sé si tenía razón, pero al menos ése fue su caso. Al cumplirse un año de su muerte, la Facultad de Ciencias organizó un coloquio para homenajearlo, e invitaron a mi madre a inaugurarlo. El aula magna estaba repleta de académicos de todas las generaciones, y ahí fue donde lo encontré de nuevo, en medio de la muchedumbre. Aunque había cambiado muchísimo, no necesité más que un par de segundos para reconocerlo. Nos abrazamos sin decir una sola palabra, frente a todos esos profesores tan prestigiosos y serios. Quedamos en vernos al día siguiente, en un café de Coyoacán. Pasamos la tarde entera contándonos nuestra vida. Le hablé de las ciudades donde habíamos vivido y de los albatros. Él me explicó que seguía viviendo en Villa Olímpica, en el mismo departamento, soportando el arrullo de las sucias y monótonas palomas. Me contó que había sufrido un accidente de coche: un amigo había jugado a las carreras contra un tren y perdió. Por su culpa, Camilo pasó tres meses en el hospital, luchando por recuperar una pierna. La experiencia le había dado el impulso que necesitaba para terminar sus estudios en economía, pero no trabajaba en nada relacionado con ellos, le faltaba paciencia. Ayudaba a su padre con su negocio de serigrafía y a cambio éste, divorciado unos años atrás, lo dejaba vivir y comer en su departamento. Ernesto Palleiro no sospechaba nada acerca de los cultivos de marihuana con luz artificial que Camilo cuidaba en el clóset de su cuarto para después venderlos entre los vecinos. Sus estrictos valores comunistas le habrían impedido perdonárselo. Villa Olímpica ha sido históricamente un barrio consumidor de cannabis. Estaba en el lugar perfecto. Me aseguró que ahorraba todas las ganancias para volver a Uruguay algún día. A pesar de su insistencia, rechacé su invitación a visitarlos en casa. Me sentía muy frágil aún tras la muerte de mi padre, y la sola idea de volver a pisar el barrio me aterrorizaba. Ya habría tiempo para ello. Nos dimos un par de citas más en el mismo café, y en cada una permanecimos ahí hasta que nos echaron. Al salir caminábamos en círculo alrededor de la cuadra. No podíamos dejar de conversar, tampoco de mirarnos. Acusábamos los cambios físicos con admiración y sorpresa: su pelo, antes lacio como el de un japonés, se había rizado, y ya no usaba lentes. Pero seguía siendo igual de alto y sus abrazos igual de perfectos.

Sin decirle una palabra, perdí mi regreso a Francia para quedarme a su lado y hasta la fecha no he retomado mis estudios. Los estragos de los accidentes externos son cuantificables, en cambio los internos nos dejan secuelas invisibles mucho más difíciles de reparar. Alquilé un departamento cerca de la universidad, y era ahí donde nos veíamos un par de veces a la semana. Mi aportación era aquel espacio con terraza. La pizza la traía él, y también el vino y la hierba. Aquellas reuniones consistían en contarnos detalles de nuestra vida y en reírnos el uno del otro hasta las lágrimas. A veces Camilo faltaba a la cita o la suspendía de última hora para salir con otras amigas potencialmente afines. Tenía muchas, pero con ninguna duraba. Me gustaba que me contara sus fracasos, como si supiese que conmigo no necesitaba guardar las formas ni las distancias. Y realmente yo no lo juzgaba, así como él tampoco juzgaba mi decisión de esperar los años que hiciera falta antes de aparearme.

Vivimos casi seis meses así, sincronizados, con una armonía semejante a la de nuestra infancia, hasta la vez en que acepté por fin su invitación a visitarlo en Villa Olímpica. Su padre había salido de la ciudad y nos instalamos en su casa desde el viernes a mediodía. El sábado por la tarde salimos a dar un paseo. Camilo recordaba perfectamente los lugares donde solíamos jugar o escondernos. «Aquí te gustaba llevar a tus muñecas, acá enterramos el botín de golosinas, detrás de esos arbustos comenzó la guerra de globos que se prolongó tres días.» Le pregunté por Paula, por Facundo y por todos los vecinos que vinieron a mi mente esa mañana. Camilo me contó sus vidas hasta el momento en que salieron de México. Los había visto marcharse uno por uno. «Después no volví a saber nada de ellos. Soy el único que sigue aquí. También mis viejos, por supuesto, pero esos pelotudos tienen demasiado miedo.» Caminábamos juntos por los senderos de piedra, tomados de la mano, pero en realidad hacíamos dos caminos opuestos: yo regresaba a la infancia mientras que él sólo quería huir de ella.

Esa noche fumamos más que de costumbre y acabamos en su habitación. La cama parecía ancha como un cielo despejado y nocturno en el que nos perseguimos el uno al otro, deslizándonos con las alas abiertas por corrientes vertiginosas de aire tropical. Desperté con dolor de cabeza y la sensación de haber saltado en paracaídas. La ropa de Camilo estaba en el suelo, revuelta con la mía.

El lunes volví a mi casa y no supe de él en toda la semana. Respeté su silencio. Llamó el jueves por la noche para contarme que había comprado el billete y que se iba en una semana a Montevideo. Encajé la noticia sin decir una palabra. «No hace falta que finjas», me dijo. «Sé muy bien que estás llorando.» Me reí y le dije entre sollozos que era un pendejo. Sólo le dije eso. No le pedí que se quedara, ¿cómo hacerlo si era lo que siempre había deseado, si en su vida no había pasado nada memorable excepto sus dos accidentes, que en mi opinión no eran sino intentos fallidos por salir del cautiverio? Era una deuda que tenía con su historia y con su familia, aunque ellos no quisieran darse por aludidos. Me habría gustado también preguntarle cuál era su verdadero país. México, donde llevaba viviendo dos décadas, o Uruguay, del que no tenía ni un miserable recuerdo. Pero de todo lo que podía decirle esa noche, no había nada que él no hubiera pensado miles de veces. Mi interrogatorio no aportaría gran cosa a su conversación interior. Lo único que me tocaba hacer era acompañarlo en los preparativos del viaje, ayudarlo a empacar sus cosas, llevarlo en coche hasta la bodega que alquiló para dejarlas y conducirlo finalmente al aeropuerto tratando de que el pobre de Ernesto Palleiro, sentado en la parte trasera del coche, silencioso como quien va a un funeral, no me viera llorar.

Aquella tarde el padre de Camilo y yo nos quedamos juntos en el mirador del aeropuerto un par de horas, hasta que el avión de LATAM cruzó el cielo con sus alas bicolor. En el coche, camino a su casa, le hablé del albatros que vi durante mi infancia. Esas aves, le expliqué, tienen un territorio muy bien delimitado: el Pacífico norte y el hemisferio sur, para ser exacta. Sin embargo, hay veces en que los marinos se encuentran con una de estas aves en lugares totalmente inusitados, como nos pasó a mi padre y a mí en las islas de Luisiana. Los llaman «albatros perdidos» o «albatros divagantes». De todas las aves del mundo, le dije a Ernesto, los albatros son las que mejor vuelan. Les basta abrir sus alas inmensas y planear, siguiendo las oscilaciones del viento. Pero también es verdad que sin viento no pueden desplazarse. A veces al intentarlo enloquecen, mueren de fatiga y caen al océano. Pueden también aterrizar sobre un barco y acompañarlo o establecerse en lugares totalmente distintos de su hábitat natural. Cuando están extraviados, se aparean, sin ningún protocolo, con hembras de especies muy diversas que como ellos se han vuelto divagantes. Desde que supe de su existencia, le aseguré, me he preguntado qué los lleva a contraer este tipo de uniones, ellos que en general eligen tan cuidadosamente a su pareja. ¿La necesidad de aparearse con quien sea? El padre de Camilo guardó silencio. O quizás sea lo contrario, continué: un ave con una experiencia tan fuerte como la de estar perdida y no poder volar a casa sólo puede emparejarse con otra igual de perdida. En el caso, poco probable, de que uno de ellos quiera –y consiga– regresar, ¿deja de ser un divagante? Entonces le pregunté una vez más a Ernesto Palleiro, que a estas alturas ya me miraba con desconfianza, como quien tiene ante sí a una persona que ha estado perdiendo la razón: ¿después de veinte años de echar raíces en otro país, puede uno volver a integrarse como si nada a la colonia de origen?

–No lo sé –contestó finalmente. Y no volvió a abrir la boca en todo el trayecto.

EL SOPOR

Han pasado cinco horas desde que mi esposo y los niños comenzaron a dormir. El cielo aún estaba claro cuando los tres se metieron en sus respectivas camas con los antifaces puestos. Duermen con el ventilador encendido porque el calor les impide conciliar el sueño. Al principio, yo también me acostaba temprano. Adopté el ritmo diurno cuando lo hizo mi marido. Ahora cenamos poco antes de las siete y a las nueve ya todos estamos en la cama. Los niños ni siquiera protestan. Al contrario, lo ven como algo excitante. Durante la noche por fin podemos separarnos, dejar de vernos las caras y hacer una vida aparte. En los sueños no estoy casada, o no siempre, y tampoco tengo familia; nado en el mar, escalo montañas, vuelvo a ver a mis amigos y también a gente de la que no he sabido nada en mucho tiempo. Al comienzo, el descanso me hizo bien, pero después me di cuenta de que cada día quiero dormir más, golosamente, no porque lo necesite sino porque los sueños son lo más interesante que sucede en mi vida. Pasó un tiempo y ya ninguno de nosotros quería levantarse a las siete. A mí eso de dormir tantas horas me parece preocupante. Se lo he dicho mil veces, pero no me hacen caso. Debo insistir mucho si pretendo despertarlos temprano, y cuando lo consigo me reprochan la interrupción. Me gusta el ritual del desayuno, empezar juntos el día y contarnos todos esos sueños apasionantes antes de entregarnos a nuestras labores frente a la pantalla, pero a ellos les aburre.

Hace más de quince años que el mundo cambió por completo y pasamos al «modo confinado», esta existencia intramuros que llevamos desde que apareció el virus. La universidad en la que trabajo cerró las aulas desde el primer año y adoptó la enseñanza a distancia. Al inicio nadie imaginaba que esto iba a normalizarse, vigilaban la curva de los contagios y las muertes. Hacían previsiones acerca de cuándo terminaría todo esto. Sin embargo, cuando la mayoría de los países implementó la renta universal, los jóvenes dejaron de tener motivos para realizar estudios universitarios y muchos de mis colegas profesores perdieron su empleo. Mi caso es un poco distinto: la literatura es una de las pocas carreras que no han sido castigadas por el encierro. La gente tiene más tiempo para leer y hay a quienes les gusta hacerlo metódicamente. Nunca he visto a mis alumnos, excepto en la pantalla, y eso ayuda a evitar todo tipo de apego extraprofesional como los de antes. Se acabaron los escándalos por amoríos entre estudiantes y maestros, las calificaciones son más objetivas. El departamento de literatura al que estoy adscrita se divide en dos áreas de investigación: las letras pre y postpandémicas. En mi opinión, los jóvenes más brillantes están entre los que se interesan por el mundo tal y como era antes, incluso si para algunos averiguar la forma en que vivíamos puede resultar muy perturbador. Es mucho lo que perdimos y descubrirlo puede llevar a la locura.

Sólo para los niños sigue siendo obligatoria la educación. Si no cumplen con ella, sus familias podrían verse privadas de la nada despreciable ayuda familiar. En un sentido son ellos los que mantienen a sus padres. Aquellos con mejor rendimiento escolar reciben al final del ciclo una prima vacacional que les permite comprar videojuegos y más tiempo en las plataformas recreativas. Hay que decir que el incentivo funciona y no es tan desinteresado como podría parecer. Al terminar la enseñanza secundaria, el gobierno se-

147

lecciona a los mejores estudiantes y los conmina a formarse en carreras previamente asignadas. Algunos son elegidos médicos, otros físicos, otros técnicos electricistas. No hay manera de que los seleccionados escojan su profesión y tampoco tienen la posibilidad de renunciar a ella. Los que llegan a mis aulas virtuales son muy distintos. Lo más probable es que nunca hayan movido un dedo para quedar en el grupo dominante, y sólo por eso me inspiran un especial afecto.

A los jóvenes que quedaron a caballo entre la educación actual y la previa les llaman «la generación perdida». Se sospecha que el ingreso universal es una medida pasajera y sirve únicamente para que estos chicos no salgan a las calles a robar u organicen protestas como hicimos nosotros, hace más de diez años, cuando salimos por primera vez del confinamiento. En la ciudad habían bajado mucho los contagios y durante un par de meses se abrieron los bares. Los cines y los teatros retomaron sus funciones. En el bosque de Vincennes se organizaban fiestas espontáneas; estallaban repentinamente, sin que nadie las viera venir. Alguien tocaba la guitarra, otro llevaba bocinas. La gente se turnaba para poner música. Todos bailábamos. Había una sensación apremiante, como si ésa pudiera ser la última oportunidad de estar juntos. Algunos comenzamos también a manifestarnos. La pandemia nos había abierto los ojos y exigíamos a los políticos más igualdad y también más respeto por el medio ambiente. Yo tenía veintitrés años y una rabia incontenible. Culpaba a los gobernantes de haberme robado el futuro. No habían sabido gestionar ninguna de las crisis. Los odiábamos y sólo soñábamos con una cosa: deshacernos de ellos, sustraernos de su puño cada vez más apretado. Mi generación había hecho suyo el malestar de la Tierra.

Fue en una de esas marchas donde conocí a Benoît. Un par de años mayor, estudiaba historia en la misma universidad donde yo había empezado literatura. Los fines de semana ayudaba a los campesinos a vender sus productos en el mercado que se ponía los domingos en el boulevard Richard-Lenoir. Siempre he creído que fue amor a primera vista, ese reconocimiento del que hablaban Novalis y André Breton, pero también es cierto que no teníamos mucho tiempo. Como ocurría casi siempre, la policía nos detuvo el paso y comenzó a reprimirnos. Tuvimos que dispersarnos no sin antes lanzarles botellas o cualquier objeto contundente y a la mano. En el caos perdí uno de mis zapatos y Benoît me prestó los suyos para que pudiera correr sin lastimarme. Dormí en su casa esa noche. Por la mañana me acompañó a la mía y, aunque para ellos era un absoluto desconocido, se puso a explicarles a mis padres por qué volvíamos a esas horas. Creo que les simpatizó. Los viejos arrastraban una gran culpa respecto de nosotros y les resultaba fácil perdonarnos cualquier cosa. Nos seguimos viendo todos los días. Pero ese periodo duró poco: pronto los contagios se multiplicaron y volvieron a confinarnos, esta vez más severamente. A esos meses de libertad, a ese respiro, los historiadores lo llaman «el recreo», y aseguran que sus consecuencias fueron tan funestas y duraderas que no pueden dejar de estudiarse. En los meses que siguieron murió más gente que nunca. Las imágenes que mostraba la televisión con cadáveres amontonados en fosas comunes eran intolerables. Benoît perdió a sus dos mejores amigos. La gente estaba asustada y se sentía responsable. Por eso aceptaron sin reparo las consignas del gobierno. Como no vivíamos juntos, Benoît y yo tuvimos que dejar de vernos. Nos llamábamos a todas horas, añorando desesperadamente el contacto físico. Debíamos buscar cuanto antes estrategias para encontrarnos y todas suponían desafiar a la policía.

Desde el segundo periodo de confinamiento, el Estado tomó el control de la prensa argumentando que los reporteros eran agentes de contagio muy activos y ocasionaron que los demás les temieran, incluso más que a los médicos. Propagar ese miedo irracional hacia los periodistas fue una de sus mejores tácticas de control. Ahora para informarnos no contamos más que con los rumores. Sabemos lo importante que resulta que sean fidedignos, y por eso está muy mal visto propagarlos por ahí sin antes asegurarse de que la información es correcta. Las noticias oficiales, las que pasan en televisión y en publicaciones –que siguen conservando sus nombres, pero de ninguna manera el espíritu que las animaba en sus orígenes–, aseguran que la sociedad está en paz, que los contagios empiezan por fin a ser controlados, excepto en los barrios y los países pobres, cuyas imágenes nos muestran sin interrupción, y por eso es de suma importancia mantenernos aislados. No mencionan el calor ni las inundaciones en Escandinavia que, se dice, han ocasionado muchísimas muertes. Hace tiempo que los noticieros dejaron de abordar el cambio climático como un tema político y lo convirtieron en una leyenda urbana, una superstición de gente desinformada.

En la penumbra de su habitación, mis hijos duermen despreocupadamente, entregados a esas experiencias oníricas que tanto defienden. Los imagino volando en parapente, recorriendo montañas y lagos, libres como aves de grandes alas, o sobre un par de esquís, recibiendo en la cara el aire frío de la montaña. A pesar de que estamos en noviembre, el calor sigue siendo insoportable. Conservo recuerdos antiguos de un tiempo en el que aún nevaba en invierno. Mis hermanos y yo salíamos al parque a divertirnos. Hemos empezado a dudar de esos recuerdos. Mi amiga Charlotte asegura que son secuelas de los sueños que cada noche tenemos, y que prolongar las horas de descanso produce ese tipo de efectos secundarios, una suerte de memoria postiza o inventada. Ahora lo único que percibimos del mundo exterior son las sirenas de las ambulancias y el ruido de los camiones que cada día llevan gas y comida a nuestros hogares. También están las noticias en la prensa y en las redes sociales, pero no sabemos si creerlas. Hay quienes sostienen que son producidos con inteligencia artificial, así como las imágenes de gente hospitalizada o las que muestran largas filas de personas esperando atención médica frente a las clínicas de barrio. No voy a negar que nos hemos acostumbrado. Ya nadie espera el final del confinamiento. Hemos reinventado el mundo, creado una nueva normalidad, como se decía al principio, y nos hemos adaptado a ella. Eso es lo peor de todo.

Hubo también, por supuesto, quienes nunca acataron las medidas restrictivas del gobierno o los que, pasado el primer año, optaron por rebelarse contra el sistema y vivir de una forma menos controlada. Grupos enteros de personas se escaparon al campo y en lo más profundo del bosque levantaron comunidades clandestinas. Por los agricultores con los que trabajaba, Benoît entró en contacto con uno de estos grupos, una comunidad autónoma que cultivaba y producía sus alimentos. Entre ellos había arquitectos, físicos, campesinos, artesanos, médicos. Nos entrevistamos con dos de ellos por videollamada. Les explicamos que nosotros no sabíamos hacer nada, excepto contar historias, pero también eso era bienvenido. Lo demás lo aprenderíamos sobre la marcha. Fui yo quien insistió en unirnos a ellos y Benoît estuvo de acuerdo. En cuanto se formalizó el traslado, recibimos en nuestros domicilios uniformes de enfermeros y papeles del hospital Saint-Louis con los que podríamos circular sin llamar la atención. Vestidos así, Benoît y yo nos encontramos una tarde en una esquina de Vincennes con un chico que nos condujo en ambulancia hasta lo más profundo del bosque.

La comuna estaba verdaderamente escondida, y si era difícil acceder a ella lo era aún más salir de ahí sin un guía. Aunque había mucha gente moviéndose de un sitio a otro, llevando y trayendo cajas con medicinas y alimentos, no era un lugar alegre como yo había imaginado: algunos habían perdido a su familia y lloraban su luto de forma desgarradora. Apenas llegamos, nos confiscaron los uniformes médicos y también nuestros teléfonos. Nadie podía utilizarlos si queríamos permanecer ocultos. Empezamos a trabajar esa misma tarde despedazando viejos muebles para convertirlos en leña. Por la noche, lavamos y pelamos papas en la cocina. Pronto empecé a extrañar a mis padres. Había vivido con ellos hasta ese momento y soñaba con salir a buscarlos para llevarlos con nosotros. Benoît decía que era muy prematuro, que primero debíamos saber si nos adaptábamos a ese nuevo régimen. Tenía razón. La vida en la comunidad era todo menos fácil. Dormíamos en espacios colectivos en los que la intimidad era simplemente imposible. No eran pocas las parejas que tenían sexo frente a los demás, pero a mí el hacinamiento no sólo me impedía coger por las noches, sino que me quitaba el sueño. Además del trabajo físico, que era extenuante, había que lidiar con personas muy distintas, algunas solidarias y generosas que cuidaban a los ancianos, otras egoístas que robaban de las alacenas las reservas de alimentos. Nosotros desconfiábamos de todos. Cuando tenía un momento libre, me escapaba del grupo y me adentraba en el bosque sin importar la hora del día o de la noche. Caminar en la naturaleza me devolvía la dignidad que el gobierno nos había arrebatado. Era hermoso escuchar a las aves, sentirlas volar o aletear entre la hierba. Una mañana me encontré frente a frente con una familia de zorros que bebía agua de un arroyo. Una madre con tres crías. Me escondí detrás de los arbustos para no asustarlos, pero aun así ella sintió de inmediato mi presencia. En vez de salir corriendo como yo me temía, me sostuvo la mirada durante varios segundos. Sus ojos color bellota me parecieron de una inconmensurable dulzura, como si se compadeciera de mí. Muy poco después escuché sobre la hierba las pisadas de sus compañeros. Una manada de zorros de distintos tamaños atravesaba el bosque a toda prisa. Fue como una descarga de vida, una lección de libertad. La familia se unió a ellos y desaparecieron entre los árboles. Cuando se lo conté, Benoît comenzó a acompañarme en mis paseos y fue ahí, casi en el mismo lugar en que había visto a la manada, donde concebimos a nuestro primer hijo.

¿Qué habrá sido de nuestra comuna y de todas las demás? Los rumores dicen que la policía ha desmantelado varias de ellas y sus habitantes cumplen condenas en prisiones insalubres donde casi de inmediato se contagian del virus y se mueren. Ya casi ningún país del mundo aplica la pena capital. La libertad siempre tiene un precio y por eso existen formas tan distintas y personales de disidencia. Están, por ejemplo, los místicos, quienes, en vez de dormir como nosotros, meditan, rezan o practican visualizaciones. Aseguran, para convencernos de seguir sus pasos, que en los años de confinamiento mucha gente ha alcanzado la iluminación. Se llaman a sí mismos «practicantes» y hablan de una felicidad invisible, asintomática, siempre que los entrevistan en la tele. Hay quienes afirman que estos grupos son ficticios, pero yo sé que no es verdad. Algunos de mis amigos sin hijos optaron por esta vía. Cuando los tienes simplemente no puedes permitírtela. ¿Qué clase de existencia llevaría un niño abandonado en un departamento mientras mamá y papá meditan sin parar en su habitación?

Cuando supe que sería padre, Benoît se dejó invadir por el miedo. Si antes tenía dudas respecto a la comuna, empezó a encontrar insostenible esa existencia que yo juzgaba coherente a pesar de sus limitaciones y del enorme trabajo físico que demandaba. Según sus palabras, quedarse ahí era como construir una casa al borde de un precipicio. En cualquier momento nos encontrarían. Traer niños al mundo en condiciones tan inciertas era condenarlos desde antes de su nacimiento. Para él se trataba de dos formas de vida sencillamente irreconciliables. Era posible abortar en la comuna, algunas de nuestras compañeras lo habían hecho ya, y aunque no fuera obligatorio, los líderes lo recomendaban. Sin embargo, para mí no era una opción: yo deseaba más que nada tener ese hijo. Para Benoît, en cambio, había que elegir entre quedarnos ahí sin descendencia o formar una familia.

Con la misma eficacia con la que orquestó nuestra huida, Benoît organizó el regreso. No sólo se las arregló para que nos transportaran en un coche, sino que también obtuvo un acta de matrimonio de la *mairie* de Fontainebleau que nos permitiría vivir juntos en sociedad. No pudimos despedirnos de nuestros compañeros: lo que hacíamos era considerado traición. Habíamos sido dos veces disidentes. Pero las leyes de nuestro país acogen sin objeciones a los arrepentidos, y en ellas nos amparamos para nuestro regreso.

No nos costó trabajo encontrar una casa. Se construyeron muchas desde el inicio de la pandemia, edificios de interés social con amplios ventanales que dan a muros llenos de hiedra o a pequeños patios internos. El objetivo era evitar que hubiera gente viviendo en la calle y asegurarse de que el mayor número de habitantes produjera y consumiera todo desde sus viviendas. Obviamente sigue habiendo algunos parias. Más que nunca la sociedad está polarizada entre quienes vivimos con un absoluto confort, pero sin salir de nuestras casas, y los que cada día mueren a la intemperie.

Desde que regresamos a la ciudad no he vuelto a ver a mis padres. Las visitas familiares están prohibidas. Todo el contacto que tenemos con ellos y con mis suegros ha sido por videoconferencia. Nos damos cita una vez por semana y para celebrar nuestros cumpleaños. Siempre se asombran de lo mucho que han crecido los niños. Supongo que lo dicen por sus caras, ya que jamás los han visto de pie o de cuerpo entero. Si para nosotros es difícil, para ellos debe serlo mucho más. Mi esposo ha tomado la precaución de grabar horas y horas de esas conversaciones. Dice que, gracias a eso, cuando mueran nuestros padres, los niños no los van a extrañar. Seguirán estando ahí en la pantalla, como siempre los vieron. Ahora, asegura mi esposo, tenemos los registros de sus voces y cientos de expresiones faciales que podríamos editar para hacerlos decir cosas nuevas, consejos o felicitaciones cuando sea necesario. Será como si nunca se hubieran ido, exclama entusiasmado. A mí, en cambio, me tranquiliza no haber dejado demasiadas fotos ni demasiados videos, excepto mis lecciones en la universidad.

Es más fácil soportar el calor cuando se está durmiendo. Al ver a mi esposo echado sobre nuestra cama, también yo quisiera acostarme y perderme en alguna aventura onírica, pero sé que si lo hago me quedaré ahí toda la noche y no quiero dormir más de lo necesario. Seis horas cuando mucho, de preferencia cuatro. Discretamente, procurando que Benoît no se dé cuenta, giro el ventilador del cuarto hacia la mesa donde estoy escribiendo. Yo tampoco llevo ropa, apenas un *slip* y una camiseta sin mangas. Junto a mí descansa un termo con agua fría del que bebo constantemente. Hace una semana que pasó el camión de abastecimiento y todavía nuestro refrigerador rebosa de frutas y verduras. Esto confirma mis temores: de tanto dormir estamos comiendo menos. No me gusta desperdiciar, se lo digo con frecuencia a mis dos hijos mientras Benoît me dedica una mueca de fastidio, pero mis palabras rebotan en el muro de sus oídos ausentes. Durante años nos esforzamos por divertirnos y hacer juegos en familia. Nos bastaba con estar sanos y juntos. Mi esposo y los niños me otorgaban todo el amor que podía necesitar. Nos tocábamos, nos besábamos, nos olíamos y nos mordíamos las orejas. Benoît decía que hacerlo nos proporcionaba endorfinas, las hormonas de la felicidad, pero llegó un día en que también nos cansamos de eso. Las ironías y las miradas de reproche se han vuelto cada vez más frecuentes.

Son casi las tres de la mañana. Más me vale preparar mi clase ahora si pretendo despertar con mi familia a las nueve, preparar el desayuno y estar lista a las once. Mis alumnos, al igual que mi marido y mis hijos, llevarán en el rostro esa sonrisa beata de quien ha dormido bien durante la noche. Yo les ofreceré estas ojeras y estas arrugas cada vez más pronunciadas que todas las mañanas constato frente al espejo. No me arrepiento, es el precio que pago por aquello que defiendo. La vida impone sus marcas sobre aquellos que se atreven a mirarla de frente, con lucidez.

Algunas mañanas me despierto asfixiada, al borde de un ataque de nervios, con ganas de correr durante horas. En esos momentos, mi refugio es el balcón de la cocina, donde se puede ver un pedacito de cielo. Me digo que ese lugar de cinco metros cuadrados es lo único que distingue a esta casa de una sepultura. Mientras, mi marido se sumerge en el sueño como si llevara puesta una escafandra. Dormir, creo que ésa acabó siendo su forma más personal de disidencia. Yo en cambio he empezado a soñar con volver al bosque. No a la comuna sino a lo más profundo, donde sólo viven los animales, y quizás, si tengo suerte, reencontrarme con la manada de zorros. Seguramente Benoît tiene razón al decir que no sobreviviría ahí ni una semana. Puede ser, pero al menos sería una semana hermosa, una semana real, llena de olores y de sonidos. Tendría que irme sola, es algo que ya he asumido. Sólo es cuestión de decidirlo. Si lo hago, ¿qué pasará con mi familia? Seguramente se olvidarán de mí como se olvidan de todo y terminarán acostumbrándose a mi ausencia. Quizás incluso lleguen a creer que me conocieron en un sueño.

ÍNDICE